당신이 집에서
논다는 거짓말

당신이 집에서
논다는 거짓말

정아은 지음

천년의상상

지은이의 말

『엄마의 독서』를 낸 뒤 엄마들을 대상으로 세 종류의 강연을 준비했다. 첫 번째는 엄마의 애환을, 두 번째는 아빠의 애환을 다루고, 세 번째는 부모들이 겪는 고충이 어디서 왔는지를 '자본주의'라는 체제에 물음으로써 앞선 두 시간의 강연을 종합하는 내용이었다. 처음엔 첫 번째 주제가 가장 반응이 좋고 뒤로 갈수록 호응도가 떨어질 거라 예상했다. 후반부에 접어들수록 '엄마'라 불리는 이들의 입장과 직접적 연관이 줄어들고, 학문 용어가 튀어나오기 때문이었다.

예상과 달리 '엄마들'은 첫 번째보다 두 번째 강연을, 두 번째보다 세 번째 강연을 좋아했다. '나'의 애환보다는 '남편'의 애

5

환을 들여다보는 편을 선호했고, '엄마'라는 자리의 고충을 짚어주고 공감하기보다 그 자리가 몰고 오는 어려움의 근본적인 연유를 파헤치는 작업을 더 흥미로워했다.

강연 전에 참가자를 모집하는 과정에서는 세 번째 강연이 제일 인기가 없었다. 강의를 주최하는 분들은 '자본주의'라는 말이 들어갔기 때문일 거라 말하며 은근히 내용을 바꿔주기를 바랐다. 나는 꿋꿋이 원래의 안을 밀고 나갔는데, 그 강연에 내가 궁극적으로 하고 싶은 말이 들어 있기 때문이었다. 엄마들이 얼마나 힘든지를 토로하고 공감하는 것도 좋았지만, 그보다 이 문제들이 근본적으로 어디에서 비롯되는 것인지를 현실적인 관점에서 조망하고 싶었다. 우리들의 문제가 '돈'이라는 시커먼 물건과 연관된 것임을 선명하게 드러내고 싶었다.

내 문제의식은 한 가지였다.

엄마들은 왜 온종일 가사를 하고도 '집에서 논다'는 말을 듣는가?

그 의문에 대한 답을 찾기 위해서는 감정적 토로나 언어적 배려의 차원보다 더 깊이 들어간 무엇이 필요했다.

돈 얘기를 해야 한다!

모든 일의 핵심에는 돈 문제가 도사리고 있다!

나는 계속 그 생각에 매달렸다.

세 번째 안이었던 '젠더의 눈으로 본 자본주의'를 처음 시도했을 때, 강연이 시작된 지 얼마 되지 않아 참가자들의 눈이 반짝이고 얼굴근육이 들썩이는 것을 발견했다. 그 눈빛과 근육의 움직임에 힘입어, 애덤 스미스니 마르크스니 하는 학자들의 이름을 들먹이면서 준비해 간 내용을 끝까지 밀고 나갔다. 강연자는 청중의 집중도와 호응을 귀신같이 알아차리는 법이라, 긍정적인 작은 단서에도 용기백배해 준비했던 내용보다 더한 알갱이를 쏟아내게 된다. 나는 처음 시도한 '자본주의' 강연에서 이런 일을 겪었고, 그다음부터 단발성 강연 요청이 들어오면 이 세 번째 안을 들이밀었다. 강연을 주선한 이가 내용이 난해하지 않을까 우려하면 자신 있게 말해주었다. "이 강연 들으신 분들, 반응 좋았습니다. 제목만 어렵게 들리고 실제로는 그렇지 않아요."

'주부'라 불리는 이들은 집에서 갖가지 종류의 노동을 하면서도 불시에 날아오는 '집에서 논다'는 말의 공격을 받는다. 이 말은 공기 중에 떠다니다가 어느 순간, 예상치 못한 곳에서 주부들의 피부를 뚫고 들어온다. 신체에 안착한 말의 효과는 은근하고 지속적이다. 이 말을 들은 이는 고막을 통해 몸에 들어온 한마디 말이 자신에게 끼친 영향을 알아차리지 못한 채 일상을 영위한다. 하지만 그 말이 지닌 독성은 몸에 차곡차곡 쌓여, 가깝거나 먼 미래에 다양한 경로로 영향력을 행사한다.

일하면서도 '논다'는 말을 듣는 이들은 매 순간 자신의 행위를 부정당한다. 방금 설거지를 했는데 논다는 말을 듣고, 방금 요리를 마쳤는데 논다는 말을 듣는 사람은 서서히 자신이 행한 일을 비하하고, 종내는 그 일을 행했던 자신을 깎아내리게 된다.

이즈음에서 혹자는 '그까짓 말이 뭐 대수냐'라고 반문할 것이다. 다른 사람들이 논다는 말을 하거나 말거나 본인만 그렇게 생각하지 않으면 되지, 남의 말에 일희일비해서 세상을 어떻게 살아가겠느냐고. 그러나 '말'은 중요하다. 한번 타인의 입에서 발화되어 내 청력의 작동 범위로 들어온 말은 사라지지 않고 남는다. 언어가 본시 우리가 하는 행동에 대한 이름표로 작동하기 때문이다.

그러나 '말' 자체를 좇는 것만으로는 그 말의 영향력을 소거할 수 없다. 말은 그저 '말'에 지나지 않으므로. 그러므로 '말'의 기원을 찾아가는 길은 그 말이 나올 수밖에 없었던 사회의 작동 방식에 대한 탐구로 이어진다. 주부들에게 '집에서 논다'는 말을 하는 이를 꾸짖고 그렇게 말하지 말라고 교정하려 드는 단계를 넘어 발화자가 그 말을 하게 만든 사회 문화적 배경을 살피게 되는 것이다. 꼬리에 불과한 말 한마디보다는 그 말을 양산한 몸통을 더듬어 찾아내야 하므로. 집에서 논다는 말의 기원을 찾아가는 여정에 '엄마'라 불리는 이들이 눈을 빛내며 동참한 것은 이런 이유들 때문이었으리라.

이런 내 시도에 호응하는 이들 중엔 '아빠'라 불리는 이들도 꽤 있었다. 『엄마의 독서』를 읽고 비로소 아내를 이해하게 되었다는 감사 편지를 보내온 '남편'이 있는가 하면, '젠더의 눈으로 본 자본주의' 강연을 듣고 평소 품었던 의문이 풀렸다는 '아빠'도 있었다. 적대적인 반응을 보일 것이라 생각했던 이들이 보내오는 호의적인 반응에 조금 놀랐다. 처음엔 '그래도 깨인 남성들이 있구나' 생각하고 넘어갔는데, 유사한 사례들을 되풀이해 겪으면서 문제는 '남성들'이 아닌 '나'에게 있었다는 생각이 들었다.

그러니까 세상에는 엄마들이 힘들다고 말하면 적대감을 보이는 '남성들'은 없었던 것이다. 내가 생각했던 균질하고 단일한 하나의 그룹, 여성의 애환을 말하면 쌍심지를 켜고 달려드는 적대적인 단일종의 인간들은 없었다. 내가 상상하고 미리 적대시했던 사람들은 한 명 한 명 개별적인 모습으로 나타나 내게 공감하고 감사를 표해왔다. 놀랍고 뿌듯하고 감사한 경험이었고, 이 경험으로 나는 기존에 가졌던 편협한 젠더 의식의 한계 밖으로 나올 수 있었다.

또 다른 지점에서 일었던 흥미로운 반응도 있다. 한 토론 모임에서 '젠더의 눈으로 본 자본주의' 강연과 같은 내용을 발표한 적이 있었는데, 내 발제 내용에 한 여성이 반감을 표했다. 전문직에 종사하는 사십 대 중반의 비혼 여성이었는데, 그녀는 전업주부를 '타인의 자비심에 기댄 사람'이라고 표현하며 자신은 앞으로 결혼을 하더라도 절대로 그렇게 살지 않겠다고, 곧 전업주부가 되지 않겠다고 말했다. 같은 자리에 있던 '전업주부' 중 한 명이 그 발언에 분노했고, 모임은 작은 파란에 휩싸였다. 다행히 나이가 지긋한 원로 한 분이 중재함으로써 작은 소동은 막을 내렸지만, 그 여성이 했던 발언은 내 의식에 쑥 들어와 자리 잡았다. 타인의 자비심에 기대는 존재라. 같은 여성의 입에서 나온 말이었기 때문에 더 아프고, 더 심각하게 들렸다. 그 말을 붙들고 한동안 고민했다. 왜 그 말이 나왔는가? 그 말은 어떤 경로를 거쳐 그의 입 밖으로 흘러나오게 됐는가? 결혼하지 않고 아이를 낳지 않은, 사회의 한 조직에서 자기 위치를 확실하게 차지한, 한 비혼 여성의 성대를 통과해 나온 한마디가 내게 많은 생각을 불러일으켰다.

이처럼 전업주부를 폄하하는 말이 마음껏 뛰놀며 활약하는 대지에는 '아빠'라 불리는 이들과 '결혼과 출산과 육아라는 전형적 길을 가지 않는 비혼 여성'이라는 존재가 서 있었고, 이들과의 만남으로 인해 나는 가던 길에서 벗어나 다른 길로 들어서게 되었다. 그 길을 걸어간 끝에 만난 세상은 더 넓고 더 다채로운 곳이었다. 그리고 그 세상에서 나는 알게 되었다. 집에서 가사를 담당하는 이들을 폄하하는 사회현상에 문제의식을 가지는 것은 엄마들만이 아니라 아빠들, 엄마가 아닌 주부들, 엄마도 주부도 아닌 비혼 여성들에게도 필요한 일이라는 사실을.

이는 여성 문제에 대한 관점의 전환으로도 이어졌다. 여성 문제가 곧 남성 문제라는 생각. 남성 문제가 곧 여성 문제라는 생각. '남성'은 가상의 균질한 적군이 아니라 현실 속 내 아들이고, 내 남편이고, 내 아버지이며 오빠라는 생각이 찾아온 것이다.

그렇게 변화된 생각의 과정을 드러내고 분류하고 정리한 것이 이 책이다. 변화 과정을 드러내기 위해 초반에 품었던 단선적이고 편협한 생각들도 여과 없이 기술했다. 여정의 중간중간 불쑥 출현해 가던 길에서 이탈하게 만들어주신 분들께 감사드린다. 삶에서 중요한 국면은 언제나 우연히, 불시에 찾아온다는 것을 귀하게 일깨워주셨다.

2020년 5월 정아은

차례

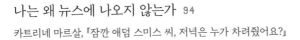

3장 자본주의사회에서 여성으로 산다는 것

4장 경계선 너머의 세상

1장

주부들이

사는

외딴섬

"너 집에서 논다며?"

큰아이가 다섯 살 되던 해, 다니던 회사를 그만두었다. 퇴근이 이른 편이었고 아이를 맡길 데도 확보되어 있었지만, 결국 그만 두는 쪽을 택했다. 이유는 복합적이었다. 둘째를 가진 상태였고, 향후 둘이나 되는 아이를 어딘가에 맡길 엄두가 나지 않았으며, 직장에서 보조적인 일만 하는 데 회의가 쌓여 있었다. 그러나 무 엇보다 나를 힘들게 한 건 엄마가 된 후에도 일을 그만두지 않는 내게 보내는 사람들의 시선이었다. 사람들은 여러 경로로 내게 질책 어린 시선을 보내왔다. 너는 누군가의 '엄마'가 아니냐? 더 구나 이제 곧 두 아이의 엄마가 될 예정이 아니냐? 그런데도 '돈 을 버는 데' 우선순위를 두다니 참으로 이해가 가지 않는구나.

물론 직접적으로 다가와 이렇게 말하는 사람은 없었다. 하지만 다양한 표정과 몸짓으로 내게 전달되는 메시지는 또렷했다.

네가 있어야 할 곳은 여기가 아니다. 어서 집으로 돌아가라!

회식 자리에 있으면 으레 "이렇게 늦게까지 있으면 애는 누가 봐?"라는 질문이 날아왔다. 애를 봐주시는 분이 있다고 말하면 그 말이 끝나기 바쁘게 "이 시간까지 안 가면 아이가 엄마 보고 싶어 해서 어떡해?"라는 말이 돌아왔다. 엄마가 끼고 키운 아이와 그렇지 않은 아이의 차이에 대한 일화들, 예컨대 학교 성적 차이로 증명된다고 하는 이야기들이 잊을 만하면 귓가로 흘러들었고, 아이를 돌봐주는 여러 손길들도 '네가 해야 할 일을 대신 해주는데 충분히 고마워하지 않는다'는 서운함을 간간이 내비쳤다.

결국 마음의 문제였다는 소리다. 회사에 계속 다니기엔 마음이 너무 불편해져 있었다는. 그런 마음으로 꾸역꾸역 다니느니 차라리 그만두는 게 낫겠다 싶었다. 일단 그만두었다가 작은 애가 좀 크면 다시 일하겠다는 생각도 있었다. 갓 낳은 아이를 남한테 맡기는 건 너무하지 않은가 싶었고, 정확히 말하면 '너무하다'고 남들이 생각할까 봐 두려웠고, 이참에 집에서 번역 일을 하다가 아이들이 좀 더 자라면 그 일로 다시 사회에 나가겠다는 계획도 있었다.

그렇게 해서 '집에 있는' 엄마가 되었다. 가사와 육아를 온전히 책임지는 전업주부가. 그렇다면 그 후로 나는 행복했던가? 사회 곳곳에서 울려 퍼지는 '엄마는 집으로!'라는 슬로건에 순응한 삼십 대의 임신부는 행복해졌던가? 이전처럼 불안하지도, '나쁜 엄마'라는 죄책감으로 잠 못 이루지도 않았던가?

일정 부분은 그랬다고 보아야 하리라. 내가 할 일을 남에게 미뤘다는 생각에서 오는 찜찜함이 씻은 듯이 사라졌다는 면에서는 확실히, 가슴이 뻥 뚫린 것 같았다. 죄인처럼 여기저기 굽실거리지 않아도 되는 것도 좋았다. 다섯 살짜리 큰아이의 육아를 전적으로 도맡아 저녁 외출은 꿈도 꿀 수 없는 신세가 되었지만 마음은 가벼웠다. 육신을 가두고 마음에 자유를 주는 게 백배 낫구나 싶었다.

그런 마음으로 닥쳐오는 집안일과 육아를 꾸역꾸역 해치우던 어느 날, 한마디 말이 날아왔다. 아마도 미리 예정되어 있었을, 하지만 당사자는 전혀 예상하지 못했던, 일을 그만두고 집에 있게 된 엄마들이 언젠가 들을 수밖에 없는 운명과도 같은 말이. 그 말을 내 귀에 내리꽂는 일을 담당한 인물은 나의 고교 동창이었다. 회사를 그만둔 지 2주째 접어들던 날, 큰애를 어린이

집에 보내고 빨래를 개는데 휴대폰이 울렸다.

"야, 정아은. 너 요즘 집에서 논다며?"

통화할 수 있는지 확인한 뒤 친구가 대뜸 말했다. 너 집에서 논다며?

그 말을 들었을 때 느낌이 어땠던가. 놀랐던가? 불쾌했던가? 당황했던가? 모르겠다. 강렬한 뭔가가 가슴을 두드리며 지나갔는데 뭐였다 말해야 할지.

"……, 그래. 나 놀아. 회사 그만뒀어."

잠시 뜸을 들인 뒤 이렇게 답했다. 논다고. 입을 벌리고 '놀. 아.' 라는 음절을 내보내는데, 기분이 이상했다. 영혼이 육신을 빠져나가 '논다'는 말을 하는 나를 내려다보는 느낌이랄까. 나는 모든 것이 정지된 진공상태에서 국어책을 읽듯 친구의 말을 그대로 반복했고, 다음 순간부터 대화는 평소대로 흘러갔다. 퇴사할 때 분위기라든가, 퇴직금으로 얼마를 받았다든가, 그만두니까 느낌이 어떻다든가 하는……. 잠깐 스틸 컷에 머물렀던 영화가 다시 움직임 가득한 화면으로 돌아간 듯 통화는 오랜만에 소식을 들어 반가워하는 동창생들의 대화로 활기차게 이어졌다.

회사를 그만둔 지 2주 만에 내 귓가에 당도했던 이 말은, 그 뒤로 잊을 만하면 등장하는 후렴구가 되었다. 다양한 장소에서 다양한 사람들이 내게 이 말을 선사했다. 너는 집에서 놀고 있지 않느냐? 수없이 들은 끝에 나는 익숙해졌다. 그 말을 들어도 당황하며 시간을 끌지 않았고, 순순히 시인했다. 내가 '놀고 있다'는 사실을. 종내 내 편에서 먼저 "아, 내가 말 안 했나, 나 회사 그만두고 집에서 논다고?"라고 말하는 수준에 이르렀다. 천연덕스럽게 이야기하면서 마음 깊은 곳에서 한 자락 불편한 감정이 꿈틀거리는 걸 감지했지만, 무감하게 넘어갔다. 그 말이 왜 불편한지 몰랐기 때문에. 따져보면 틀린 말도 아니다 싶었기 때문에. 내 쪽에서 먼저 "나 집에서 놀아"라는 말을 꺼냈던 건 그런 심리였을지도 모른다. 상대에게 논다는 말을 듣기 전에 차라리 내가 먼저 말해버리자는. 선수를 쳐서 집에서 놀고 있음을 인정해버리면 상대에게 버럭 화를 내는 바보 같은 짓을 하지 않을 것이라는.

지금 생각해보면 그것은 '엄마는 집으로!'라는 노래의 2절이었다. 이 노래에 맞추어 집으로 간 엄마에게는 '너는 집에서 노는구나!'라는 2절이 기다리고 있었던 것이다. 그러나 당시에는 엄청난 기세로 덮쳐오는 집안일을 익히고 아이 수발에 전념하느라 그 말이 지닌 울림을 제대로 인식하지 못했다. 그뿐만 아니라 다음에 올 노래, 그러니까 동일한 멜로디의 3절이 기다리고 있다는 사실도 눈치채지 못했다.

운명의 3절은 그로부터 몇 달 뒤에 왔다. 어쩌면 그전에 이미 울려 퍼졌을지 모르나, 귓전을 파고들어 내 운명의 말로 자리 잡은 것은 퇴직으로부터 한참이 흐른 뒤였다. 친척 집을 방문했던 날, 각종 친지들이 둘러앉아 저녁을 마치고 과일을 깎아 먹던 도중이었다. 화제는 '요즘 젊은 여자들'이었다. 연령이 높은 여성 친척들이 모인 자리면 으레 나올 법한 말들, 그러니까 '요즘 젊은 여자들은 고마운 걸 몰라', '남편이 얼마나 밖에서 고생해 돈을 벌어 오는지도 모르고 만날 외식에, 카페에, 그러면서 퇴근해 돌아온 남편 설거지 시킨다니까'와 같은 말들이 클리셰처럼 울려 퍼졌고, 나는 열심히 나를 다독였다. 평생을 그렇게 살아오신 분들이니 그리 생각하는 건 어쩔 수 없다! 괜히 끼어들지 말고 못 들은 척 찌그러져 있자! 그 자리에 '젊은 여자'는 나밖에 없었기 때문에 입바른 소리를 해봤자 지원을 얻을 수도 없는 상황이었다. 설사 지원이 있다 해도, 어떠한 변화나 효과도 일으키지 못할 게 뻔한, 서로 감정만 상할 일을 만들고 싶지 않았다. 나는 묵묵히 찻잔을 주시했다. 화를 내게 될까 봐 '어른들'과 시선도 마주치지 않았다. 그러나 상황은 나를 가만히 내버려두지 않았다.

"너는 어떻게 생각하니?"

어른들 중 한 분이 내게 말을 건 것이다.

"네?"

말을 건 '어른'은 나를 향해 다량의 말을 쏟아냈다. 너 정도면 정말 운 좋은 것 아니냐. 네 남편처럼 월급 꼬박꼬박 갖다주는 남자도 흔치 않다. 더구나 네 남편은 착실하고 가족밖에 모르는 사람 아니냐. 너는 진짜 감사해야 한다. 내가 아는 누구누구는 남편이 땡전 한 푼 안 가져다주면서 집안일에 손 하나 까딱 안 한다…….

"여자들이 다 집에만 있지는 않아요. 같이 벌거나 파트타임으로 일해서 버는 경우도 있고……."

주섬주섬 말을 주워 올리는 내 목소리가 가늘게 떨렸다.

"넌 안 그렇잖아."

여성 어른이 매서운 얼굴로 말을 끊었다.

"네?"

"넌 남편이 벌어다 준 돈으로 편하게 먹고살잖아!"

그제야 알았다. 그 자리에 모인 여성 어른들이 그 화제를 입에 올린 이유가 나라는 존재에 있었음을. 그러니까 그분들은 회사를 그만둔 내게 이제나저제나 그 말을 해주고 싶었던 것이다.

"제가 회사를 그만둔 건……."

짜내듯 말을 꺼내다가 입을 다물었다. 나는 편하게 있으려고 일을 그만둔 게 아니다. 아이들 때문에 눈물을 머금고 퇴사했다. 현재 생활은 회사 나갈 때보다 힘들면 힘들었지 결코 편하지 않다. 아이들이 크면 다시 일하러 나갈 거다……. 마음속에 수많은 말들이 밀려와 우선순위를 다투었지만, 너무나 강렬한 억하심정에 휩싸여 그 많은 말들을 조리 있고 평안하게 담아내기엔 역부족했다. 울거나 화내지 않고 말할 수 있는 가능성이 전무한 상태에서 나는 아예 말하기를 단념해버렸다.

"고마운 줄 알아야지. 너 정도면 매일매일 남편한테 '고맙습니다' 하고 살아야 돼."

여성 어른의 눈에선 의기가 뿜어져 나왔고, 목소리에는 결기가 담겨 있었다. 나는 시선을 내리깔았다. 그 여성 어른이 그동안 나를 괘씸히 여겼다는 걸, 오랫동안 품었다 작심하고 풀어놓는 말이라는 걸 그제야 알 수 있었다.

자제심을 발휘해서 그저 묵묵히 듣는 것으로 그 자리를 넘겼지만, 이날 있었던 일은 두고두고 마음에 남았다. 엄청난 적대감과 함께 날아와 내 가슴에 꽂혔던 말, "남편이 벌어다 준 돈으로 편하게 먹고살잖아!"라는 말은 집에서 논다는 말보다 훨씬 커다란 파장을 만들어냈고, 전업주부로 사는 사람이 사회에서 어떤 취급을 받게 되는지에 대한 명징한 상징으로 자리 잡았다.

그 후 며칠 동안 나는 잠을 이루지 못했다. 그분이 쏟아내던 여성 비하의 말들, 적대감 어린 눈빛, 분노한 음성이 자꾸 떠올랐다. 아무 말 못 하고 속수무책으로 앉아 있었던 나에 대한 후회도 따라붙었다. 다시 그때로 돌아간다면 해주고 싶은 말을 떠올리며 혼자 중얼대기도 했다. 10여 년의 세월이 흐른 지금, 기억을 짚어보고 있으니 당시 내게 그 말을 내뱉던 여성 어른에게 짠한 마음이 든다. 그분은 평생을 전업주부로 사신 분이었다. 굉장한 멋쟁이로, 젊을 때 배우였냐는 말을 들을 정도로 화려한 외모에 패션 감각이 뛰어났지만, 입에서 나오는 말은 '여자 팔자는 뒤웅박'이라거나 '여자는 이러이러해야 한다'는, 성차별적 개념으로 점철된 말들뿐이었다. 입만 열면 '여자는'이라는 말이 나온다는 건 자신이 평생 그 말을 들어왔다는 소리 아니겠는가. 여자는 이래야 한다, 여자는 저래야 한다는 말에 순종하며 살아온 그분은 그렇게 살지 않는 요즘 젊은 여성들을 보며 자신의 인생이 부정당하는 듯한 느낌을 받았을 것이다. 자신을 그렇게 살도록 만든 것은 요즘 젊은 여성이 아니라 남성 중심적 사회구조이며, 반기를 들어야 할 대상도 나이 어린 여성이 아닌 자신에게 그런 삶을 강요한 기득권 남성 계층이건만, 살아온 내력이 그분

26

으로 하여금 문제의 핵심을 들여다보고 대응할 수 있는 시간과 방법과 용기를 허락하지 않았던 것이다. 그리고 앞으로도 그분은 그렇게 살아갈 것이다. 남은 평생을, 젊은 여자들의 뻔뻔함을 욕하고, 가르치려 들고, 젊은 여자들과 불화하면서. 그리고 그 과정을 지켜본 사람들은 혀를 차며 말하리라. 역시 여자의 적은 여자라고.

이날 이후로 나의 지병이 시작되었다. 툭하면 휴대폰을 켜고 구직 사이트에 접속하는 병. 정규직, 비정규직, 아르바이트를 가리지 않고 내가 할 만한 일이 없는지 게걸스럽게 찾아보는 병. 특히 누군가에게 노래의 2절이나 3절을 들은 날이면 어김없이 인터넷에 접속해 구직 활동을 벌였다. 정확히 말하면 구직이라기보다 그저 검색했다고 해야 할 것이다. 두 아이를 돌보아야 하는 신분으로서 아침 일찍 나갔다 저녁에 퇴근해 돌아오는 직장 생활은 처음부터 가능하지 않았기에, 검색에 두어 시간을 보내는 것으로 솟구치는 분노를 달랬다. 쓸데없는 일인 줄 알면서도 검색해서 일자리 내용을 확인할 때만큼은, 이 정도면 나도 합격할 수 있겠다는 확신이 들 때만큼은, 돈을 벌어 온다는 느낌에 잠겨 들 수 있었다. 내가 내 능력으로 다시 회사에 들어가 다니고, 내 이름으로 된 통장에 다달이 일정 금액이 꽂힌다는 착각에. 그것은 내가 스스로에게 허용한 '유용한' 시간 낭비였고, '논다'와 '남편에게 얹혀산다'는 말의 폭격 아래에서도 두 아이의 엄마라는 엄중한 자리를 이탈하지 않도록 해주는 차악의 가용 수단이었다.

주부들의 세상은 왜 이렇게 다른가

소스타인 베블런, 『유한계급론』

나의 동료들, 그러니까 '전업주부'라 불리는 이들과 본격적으로 친해진 것은 전업주부 생활 2년 차에 접어들었을 때였다. 여섯 살인 큰아이가 유치원에 들어가게 되면서 같은 유치원에 아이를 보내는 엄마들과 하나둘 친분이 생기기 시작한 것이 발단이었다. 어느 날 정신을 차려보니 일상 대부분을 동료 엄마들과 나누고 있었다. 처음 회사를 그만두었을 때는 '대체 내겐 언제 동네 친구가 생기려나' 한탄했는데, 아이가 유치원에 가니 자연스럽게 생겨났다. 동료 엄마 대부분이 큰아이 유치원 친구들의 엄마였으니, 아이는 과연 나의 전반적인 생활뿐 아니라 사교의 범위까지 정해주는 엄청난 영향력을 지닌 존재였다.

아이 덕에 만난 나의 동네 친구들은 참으로 다양한 개성을 뽐냈다. 나이나 외모는 물론이고 살아온 환경, 경제적 여건, 말투 등 어느 모로 봐도 나와 유사점을 찾기 힘들었다. 아이가 아니었다면 어디 가서 쉽게 친해질 수 없었을 이들의 존재는 내게 상반되는 감정을 동시에 안겨주었다. 그동안 만나왔던 지인들과는 완전히 다른 존재들이 대거 내 생활에 스며든다는 데 설렘을 느꼈지만, 나와 완전히 다른 가치관을 가진 그들이 내게도 당연하다는 듯 같은 가치관을 요구해올 때면 황당함과 두려움으로 얼어붙었다. 남자들이 군대에 가면 각계각층의 사람을 만나면서 시야가 넓어진다더니, 엄마가 된 이들은 아이로 인해 시야가 강제로 확장되는구나 싶었다.

이렇게 회상하여 쓰고 있자니 갑자기 근본적인 질문이 솟구쳐 오른다. 전업주부란 무엇인가? '전업'이라 하는데, 주부는 과연 '업'인가? 그렇다면 '업'이란 무엇인가? 그때부터 10년이 흐른 지금, 여전히 정체성의 80퍼센트는 주부인 (글쓰기라는 저소득 파트타임 일을 하지만 근본적으로 내 정체성은 주부다) 나는 지금도 모르겠다. 전업주부가 무엇인지. 지금도 모르니 그때는 어땠겠는가. 그 시절을 떠올리면 대뜸 하나의 형용사가 떠오른다. '황량하다.' 전업주부라는 이름을 달고 집에 '들어앉았'을 때, 나는 허허벌판에 혼자 내동댕이쳐진 느낌이었다. 인적 없는 광활한 들판에 혼자 뚝 떨어진 듯한. 초등학교 입학 이래 늘 소속이 있었던 내게 주부라는 이름으로 펼쳐진 일상은 드넓지만 아무것도 없는, 기이한 진공상태처럼 느껴졌다. 해야 하는 일의 정확한 범주도, 위반 시 가해지는 벌칙의 한계선도, 동료라고 확실히 말할 수 있는 누군가도, 언제부터 언제까지 담당자로 머물러야 한다는 지침도 없는 막연한 일. '일'이라 할 수 있는 일인지 의심스러운 일. 하지만 내가 해보았던 어떤 일보다도 부담스러운 일.

허허벌판에서 혼자 허우적거리고 있다는 느낌은 다른 주부들과의 관계에서도 발생했다. 나의 동료들은 각기 너무나 다른 가치관을 지녀서, 그들의 언행을 어느 선까지 허용하고 어느 선부터는 허용하지 않아야 되는지 감을 잡을 수 없었다. 내 상식에는 분명히 해서는 안 될 일인데 당연하다는 듯 해치우고 내게도 자기처럼 할 것을 종용하는 동료 엄마들. 마땅하고 올바른 일이니 당연히 자기 눈앞의 친밀한 이웃 여성도 함께할 것임을 한 치의 의심 없이 믿는 동료 엄마들의 해맑은 눈빛을 보고 있으면 그것을 바르지 않은 일이라고 생각하는 내가 근본적으로 잘못된 것처럼 느껴졌다.

가장 적응하기 어려웠던 분야는 '약속'에 대한 관행이었다. 사소한 시간 약속에서부터 함께지기로 한 비용 부담, 같이 나누기로 한 책임까지, 사전 귀띔 없이 약속을 어겨놓고도 다음 만남에 활짝 웃는 얼굴로 나타나는 엄마들이 있었다. 나로서는 놀랍고 화가 나는 일이었는데, 다른 엄마들은 대수롭지 않게 넘겼다. 아이 키우다 보면 흔히 있을 수 있는 일로 치부하고 가볍게 핀잔을 주거나 아예 일어나지도 않은 일인 듯 넘어갔다. 엄밀히 따지자면 약속 개념이 확실한 엄마가 그렇지 않은 엄마보다 많았고, 회사 생활을 하면서 만났던 이들 중에도 약속 개념이 흐린 사람이 꽤 있었다. 하지만 그런 사례에서 나타나는 주부들과 회사원들 간의 수용성의 강도 차이 때문에 내 뇌리에는 주부들 세상이 약속 개념이 더 흐린 것으로 자리매김되었다.

두 번째로 적응이 어려웠던 분야는 '충고' 문화였다. 외모 개선 작업부터 남편을 대하는 방식에까지, 갖가지 충고가 시도 때도 없이 날아왔다. 이런 충고들은 '잘되길 바라는 선심'이라는 외관을 띠었지만 결과적으로 빈부 차이에서 비롯된 결과를 강조하는 효과를 내거나 가부장적인 시선으로 상대를 단죄하는 분위기를 자아내어 적잖은 불쾌감을 유발했다. 하지만 다른 엄마들은 별다른 반응을 보이지 않았고, 그러면 나도 '내가 너무

예민한가 보다' 생각하면서 끓어오르는 마음을 내리눌렀다.

화가 나는 일에 아무렇지도 않은 척 태연하게 대처하는 법을 익히긴 했지만 마음에 맺힌 의문은 사라지지 않았다. 내가 서 있는 이곳은 왜 이렇게 다른가? 사회생활을 하던 때 만났던 이들과 지금 대면하는 이들은 왜 이렇게 다른 느낌을 주는가? 그에 대한 답을 찾은 것은 그로부터 10년의 세월이 흐른 후, 한 미국 사회학자의 저서를 읽으면서였다.

소스타인 베블런의 『유한계급론』이 출판될 당시 미국은 록펠러, 카네기 같은 자본가들로 대표되는 사치와 향락의 시대를 지나가고 있었다. 사회 지도층은 '열심히 일해 세속의 부를 쌓아 올리는 자가 하느님의 소명을 드러내는 자'라는 개신교 교리를 설파하며 사람들에게 열심히 일할 것을 종용했지만, 정작 부의 대부분을 움켜쥔 상류층은 가진 것을 과시하고 획득한 특권을 공고히 하는 데 여념이 없었다. 소스타인 베블런은 이들을 유한계급이라 명명하고 이들의 행태를 집중 조명한다. 돈의 힘이 날로 커지는 세상에서 가진 자들이 내보이는 위선과 파렴치함을 낱낱이 드러낸다. '사회 지도층'이라 불리는 소수의 자본가는 열심히 일하기는커녕 다른 이들이 노력해 쌓아 올린 결과물을 약탈해 수중에 넣고 그것을 과시하기 바빴다. 베블런은 이런 상류층의 행태를 '약탈 문화'가 시작되던 원시시대부터 내려온 특권층의 관습이라고 지적하며 이들의 주된 일이 '노동하지 않아도 되는 자신의 특권을 드러내 세련된 형태로 보여주는 일'이라고 못 박는다. 수천 년 전, 농업 발달로 잉여생산물의 축적이 가능해졌던 시기부터 이들은 정치·전쟁·스포츠·종교 같은, 먹고 입고 자는 생명 유지 활동을 위한 일상적 노동과는 상관없는 분야에 종사했다. 먹고사는 일과 관계없는 '명예로운' 분야에 몸담으며 노동하는 이들이 수확한 곡식과 물건을 수탈해갔고, 그런 습속은 수천 년이 지난 지금도 변함없이 이어지고 있다. 오늘날 우리 사회 상류층이라 불리는 사람들이 몸담았거나 관심을 기울이는 분야가 어디인지를 생각해보면 우리는 베블런의 논리가 현대사회에 대입해도 손색이 없다는 사실을 깨닫게 된다.

유한계급 인사들이 남이 노동력과 생명력을 쏟아부어 만들어낸 결과물을 성큼성큼 채 가는 걸 주업으로 삼는다는 면에서 범죄자들과 동일 선상에 있다고 평가하는 이 신랄한 사회학자의 저작에서, 여성은 그런 부유한 유한계급 남성들의 과시에 동원되는 '수단'으로 출현한다. 유한계급의 기원을 추적하느라 원시시대로까지 거슬러 올라가는 첫 장에서부터 여성은 철저히 약탈 대상 혹은 교환 대상으로 그려지고, 이 모습은 각 장의 전개와 함께 유한계급에 대한 냉소와 조롱이 쏟아져 나오는 내내 일관되게 유지된다. 부유한 남성의 시간과 돈을 '대리 소비'하거나, 비쩍 마른 몸매를 유지해 남편이 '조금도 일을 하지 않아도 되는 아내'를 거느리고 있다는 사실을 증명하는 데 일생을 보내는 여자들의 모습.

여성용 하이힐, 스커트, 거추장스러운 보닛, 코르셋과 같이 착용하는 사람의 편의성 자체를 아예 무시하는 듯한 특징을 보이는 모든 문명화된 여성의 의상들은 현대의 문명화된 생활 구조에서 여성들이 여전히 이론적으로는 남성에게 경제적으로 의존하는 존재라는 것, 그리고 가장 이상적으로 표현하자면, 남성이 소유하는 동산이라는 것을 증명하는 품목들이라 할 수 있다. 여성들이 이처럼 과시적 여가에 필요한 복장의 소비자로 자리 잡게 된 이유는 분명히 대부분의 여성이 과거 경제적인 직업 분화 과정에서 주인의 지불 능력의 일부를 위임받은 하녀의 신분이었다는 데서 찾을 수 있을 것이다.[1]

어느 모로 보아도 자신의 생각과 의지가 있는 한 명의 사람으로 보이지 않는 여성들의 모습을 보면서 씁쓸함을 느꼈지만, 유명하다는 남성 사회학자들의 저작을 펼칠 때면 으레 맞닥뜨렸던 현상이었던지라 침을 꿀꺽 삼키고 지나갈 수 있었다. 불쾌하지만 어쩌겠는가. 1857년에 태어나 물질적 어려움이라곤 근처에도 가보지 않았던 기득권 남성의 (베블런은 노르웨이계 명문가의 자손이었다) 한계라 생각해야지. 여성 비하적인 시선이 섞여 있다고 해서 이런 책들을 덮어버린다면 세상에 읽을 수 있는 책은 하나도 남지 않을 것이다. 그러니 냉정하게 숨을 들이켜고 지나가자!

여성이 비하된 모습으로 출현할 때마다 움찔거리는 가슴을 다독이며 독서를 이어가던 나는 어느 한 부분에 이르러 그러한 노력의 대가를 얻기에 이르는데, 바로 다음 구절이었다.

종교 의례를 여성에게 일임하는 경향을 보이는 이러한 남녀 간 역할 분화는 적어도 어떤 측면에서는 중산계급의 여성이 대리 유한계급이라는 사실에서 비롯된다. 유한계급보다 낮은 기술자 계급의 여성들도 정도는 약하지만 종교 의례를 전담하는 경향을 보인다. 그런 여성들은 산업 발달의 초기 단계로부터 전승된 신분제도의 구속을 여전히 받고 있기 때문에, 대부분 구시대적인 사고방식에 이끌리는 정신 구조와 사고 습관을 유지하고 있다. 그와 동시에 대부분은 산업 과정과 직접적이고 유기적인 관계를 맺고 있지 않기 때문에 현대 산업의 목적에 비추어보면 이미 폐습이라 할 수 있는 사고 습관을 깨뜨리려는 강력한 의지도 보이지 않는다. 다시 말해서 그런 여성들이 유별나게 강하게 드러내는 신앙심은 대개 그 여성들의 경제적 지위가 요구하는 보수주의적 성격 특유의 발로인 것이다. 가부장적인 신분 관계는 이미 현대 남성들의 생활을 규정하는 두드러진 특징이 아니다. 그러나 관습이나 경제적 환경 때문에 "집 안에만" 머물 수밖에 없는 여성들, 그중에서도 특히 중산계급의 여성들에게는 이런 신분 관계가 생활 구조를 결정하는 가장 현실적이고 근본적인 요인으로 작용하고 있다.[2]

책의 열두 번째 장, 종교 의례를 다루는 장의 중반에 나오는 부분이다. 저자는 성직자와 여성, 하인을 묶어 유한계급을 '대리하는' 계층으로 기술하는데, 발췌한 부분은 종교 활동의 대부분을 성직자와 여성이 담당하게 된 이유에 대한 설명이다. 이 부분을 읽어 내려가는 동안 한 장면이 머릿속을 스쳐 갔다. 성당이

나 교회, 절 같은 종교 공간에서 흔히 볼 수 있는 장면, 즉 한 명의 남성이 앞에서 의식을 거행하고 수많은 여신도가 그를 돕는 보조자로 일하거나 신도로 앉아 있는 광경이었다. 한동안 상념에 잠겨 있다가 나는 천천히 고개를 끄덕였다. 그렇구나. 10년에 가까운 세월 동안 풀지 못하고 질기게 품고 다녔던 의문에 대한 답, 전업주부들의 세상에 대한 실마리가 조금씩 풀리는 듯했다.

내가 속한 세상, 그러니까 주부들의 세상은 그전까지 내가 속했던 세상과는 완전히 다른 세상이었다. 그것은 자본주의의 시공간이 스미지 않은, 살짝 스미긴 했으나 그 핵심에 있어서는 거의 침해받지 않은, 어떻게 보면 중세에 가깝다고 표현할 수 있는 곳이었다. 돈이 아닌 관계가 중심이 되는 곳, 물질보다 정신이 중요시되는 곳, 그렇기에 종교가 큰 비중을 차지하고 영향을 미칠 수 있는 곳. 그것이 갓 회사를 박차고 나온 내가 불편함을 느끼는 이유였고, 동시에 그런 세상에 몸담으면서 한편으로 편안함 혹은 뭉클함 같은 걸 느끼게 되는 이유였다. 생활에 필요한 모든 것을 돈을 주어야 구하는 세상에 살면서 정작 자신이 수행한 일 곧 가사에 대해서는 한 푼도 받지 못하는 이들, 사람들이 존경하는 인물 1순위를 이순신이나 세종대왕이 아닌 스티브 잡

스나 빌 게이츠 같은 기업가가 차지하는 시대를 살면서 무보수로 행하는 자신의 일을 '일'이라 말하지 못하는 이들이 딛고 선 공간은 자본이 점거한 세상에서 동떨어져 홀로 존재하는 세상, '사랑'과 '헌신'의 이름으로 꾸며져 있지만 화려한 치장을 들추면 소외감과 황량함으로 어쩔 줄 몰라 하는 영혼들이 숨 가쁘게 일상을 이어가는 외딴섬이었다.

자본주의의 꽃과도 같은 회사에서 10년 넘게 일하다 떨어져 나온 내가 그런 섬 같은 공간에서 만난 이들을 낯설게 느끼는 것은 당연했다. 회사에서 10년의 세월을 보낸 사람은 철저히 자본화된 시공간 개념을 갖게 된다. 정해진 시간에는 무슨 일이 있어도 회사 문턱을 넘어야 하고, 각자 먹은 밥값은 끝전까지 계산해 더치페이를 해야 하며, 담당한 일에 대해서는 몸이 부서지더라도 책임을 져야 한다는 개념을 하루하루 몸에 새기게 된다는 소리다. 그리고 이런 개념을 체화한 사람은 자신이 익힌 습속을 의심의 여지없는 우주적 진리, 사람이라면 당연히 익혀야 할 에티켓으로 여긴다. 전업주부 2년 차에 접어든 내가 시간과 비용 개념이 또렷하지 않은 이들과 접하면서 당혹감을 느낀 것은 이런 경위 때문이었다. 그러나 고슴도치처럼 빳빳이 서 있던 내 마음은 전업주부 3년 차, 4년 차가 되면서 차츰 누그러들었고, 급

기야 회사를 막 그만둔 다른 전업주부 1년 차가 약속 개념이 뚜
렷하지 않는 다른 엄마를 향해 날을 세울 때 "괜찮아, 애 키우다
보면 그럴 수도 있지"라는 말을 날리는 신공을 발휘하기에 이르
렀다.

재미있는 건 내 마음이 변해온 역사를 베블런의 앞선 구절
을 만났을 때에야 비로소 파악할 수 있었다는 점이다. 전업주부
생활 초반에 약속을 지키지 않는 엄마들을 역적 보듯 했던 나는
시간이 지날수록 마음이 누그러들었을 뿐만 아니라, 그렇게 '눙
치고 넘어가는' 사람들을 슬며시 좋아하기 시작했다. 시간 약속
을 안 지키거나 돈 계산이 흐린 사람들은 대부분 '인간성'이 좋
았다. 쉽게 화를 내지 않았고, 상대의 실수를 웬만하면 선의로
해석했으며, 누군가 어려운 상황에 처하면 어떻게든 도우려 했
다. 마지막 부분이 가장 감동적이었는데, 약속 개념이 흐린 부
류의 엄마들은 관계의 마지노선에 대한 개념도 흐린 것인지, 건
너 건너 이름을 들었을 뿐인 누구누구 엄마가 둘째를 낳았다는
소식을 들으면 내복을 사서 보내고, 누구누구네 시아버지가 돌
아가셨다는 소식을 들으면 소액이라도 반드시 조의금을 전달했
다. 내가 베풀었다 싶은 사항을 하나하나 기억해 돌려받지 못하
면 억울해하고, 내가 친하다고 설정해놓은 범주의 사람이 아닌

이들에게는 뭔가를 해줘야 할 필요가 조금도 없다고 굳게 믿으며 살아온 나로서는 도무지 이해할 수 없는 일이었다. 처음엔 저게 웬 쓸데없는 오지랖인가 정도로만 생각했는데, 시간이 지나면서 이들의 마음 씀씀이에 슬며시 감동을 받았다. 그리고 어느 시점부터 이들의 행동 양상을 슬금슬금 모방하기 시작했다.

물론 약속 개념이 흐린 이들이 모두 인간성의 화신이었던 건 아니었다. 개중에는 계산이 흐리면서 인간성까지 나빠 아무리 노력해도 좋아할 수가 없는 이들도 있었고, 역으로 시간과 돈 계산에 있어 칼 같은 정확함을 자랑하지만 인간성의 깊이와 오지랖의 넓이까지 타의 추종을 불허하는 너그러움의 화신도 있었다. 결국 다양한 사람들이 각각 다른 비율로 자본주의사회에서 파생되는 여러 특성(혹은 반특성)을 내장한 채 내게 다가왔고, 나는 차츰 그 드넓은 세상에서 고유한 개인이 내뿜는 각자의 역사와 그 역사가 맺어낸 품성과 개성들을 분리해 맛볼 수 있게 되었다.

나는 베블런의 이 구절을 적어놓고 여러 번 들여다보았는데, 어느날 문득 이 구절이 비단 주부들의 세상에만 적용되는 게 아니겠다는 생각이 들었다. 어느 해 봄, 마감날짜 내에 원고를 보내줘서 고맙다고 편집자가 전화를 걸어왔던 날이었다. 편집자가 '이런 일은 정말 드물다'며 치하를 해주었고, 나는 어깨를 으쓱하며 말했다. "저는 마감날짜를 한 번도 어긴 적이 없답니다." 무슨 일이 있어도 마감날짜를 지킨다는 게 작가로서의 내 유일한 강점이라고 떠들고 다니던 시절이었다. "작가도 사회인인데 약속 지키는 건 기본이죠!" 그러자 편집자가 이렇게 응수해왔다. "그래도 요즘엔 마감날짜 지켜주시는 작가분들이 많아졌어요. ○○○ 작가님, ○○○ 작가님도 항상 마감을 지켜주시거든요." 그러면서 그는 사회생활을 했던 작가들이 대부분 마감을 잘 지킨다고 덧붙였다. 마감시간을 넘기는 건 대부분 학교를 졸업하고 바로 전업작가 생활에 들어간 분들이라고. 그 말을 듣는 순간 『유한계급론』의 한 구절이 떠올랐다. "산업 과정과 직접적이고 유기적인 관계를 맺고 있지 않기 때문에…" 그리고 생각했다. 조금 전 했던 말들을 회수하고 싶다고. 자신감에 가득 찼던 내 음성을 모조리 불러들여 아무도 보지 않은 곳에 내다 버리고 싶다고.

그 통화 이후로, 마감을 잘 지키는 나를 자랑스러워하던 마음이 슬며시 고개를 수그렸다. 나와 통화한 편집자는 원고를 제

때 보내준 나를 치하했지만, 실생활에서는 나와 친하게 지내지 않았다. 그와 나는 일로 만나 몇 번 밥을 먹고 차도 마셨지만, 이 메일과 전화통화를 수도 없이 주고 받았지만, 사적으로는 조금도 친해지지 않았다. 그가 사적으로 친하게 지내는 작가들은 모두 학교를 졸업하자마자 전업작가 생활을 한 사람들이었다. 그는 마감도 안 지키고 툭 하면 잠수를 타는 그 작가들과 죽마고우인 양 친하게 지냈고, 나는 처음엔 일로 만났을 그들이 대체 어떻게 그리 친해진 것인지 너무나 궁금하고 부러웠다. 그 편집자는 왜 내게는 한 움큼도 주지 않는 마음을 그들에게는 그토록 덥석덥석 내준단 말인가! 이제 베블런의 저서를 읽고 세상 돌아가는 이치를 한 오라기 더 알게 된 지금, 당시의 궁금하고 억울했던 마음이 조금 풀리는 걸 느낀다. 사람과 사람이 가까워지는 데에 필요한 요소가 무엇인지, 그 요소에 자본주의가 끼치는 영향이 무엇인지, 어렴풋이 감을 잡은 것 같다. 논리적으로 확연히 풀어 말할 수 없는 어떤 덩어리의 존재를 묵직하게 느낀다.

나는 지금 주부들이 모두 시간관념이 흐리다거나, 사회생활을 거치지 않고 바로 전업작가가 된 이들이 모두 마감을 지키지 않는다고 주장하는 게 아니다. 실생활에서 주부들 대부분이 약속을 잘 지키며, 학교를 마친 뒤 바로 전업작가가 된 사람 중 대다수가 마감에 충실하다. 다만 나는 주부들의 세상과 작가들의 세상이 약속 개념에 철저하지 않은 이들을 포용해주는 '정도'를 특별하게 인식하는 것이다. 내 시간, 내 돈의 경계를 넘어서는 타인도 너그럽게 품어 안는 이들의 세상을.

내가 '주부들의 세상'이라고 생각했던 세상은 사실 '비자본주의적인 세상'이었다. 내가 '인간이라면 당연히 지켜야 할 에티켓'이라고 생각했던 규범들은 알고 보면 '서구 자본주의 사회에서 파생된 에티켓'이었다. 원래 한 무리를 이루어 생활하던 사람들을 한 명 한 명 갈라놓고 각자 벌어 먹고 살아야 하는 개인으로 원자화한 자본주의 사회에서는 눈이 오나 비가 오나 미세먼지가 하늘을 뒤덮으나 상관없이 정해진 시간에 일터에 모습을 나타내고, 자기가 소비한 부분에 대해 정확히 값을 지불하는 습속이 중요할 것이다. 체제유지를 위해서 반드시 고수해야 할 습속일 것이다. 그런 사회에서 이익을 창출하는 조직에 속해 생활을 영위하는 사람은 조직 생활을 통해 자본주의의 에티켓을 몸에 체화할 계기가 없었던 사람을 이해하기 힘들 것이다. 어떻게 이해하겠는가. 가까이 접한 적이 없는데. 조직에 속해 '자본주의적 에티켓'을 철저히 수행하는 사람들 중 한 명이었던 나는 '전업주부'가 되면서 비로소 그렇게 살지 않는 사람들을 접했다. 당황스러웠지만 차츰 적응했고, 어느 순간부터는 낯설게 여겼던 습속의 일부를 내 것으로 받아들였다. 그리고 그로부터 십 년의 세월이 흐른 뒤 베블런의 책을 만나면서, 자신에게 일어난 일이 무엇인지 알게 되었다. 당시 내게 일어난 변화가 어디서 기인했는지, 내가 어떤 세상에서 어떤 세상으로 옮겨갔던 것인지 깨달았다. 그리고 한 권의 책을 통해 비로소 '다른 세상'이라고 명명할 수 있게 된 한 세계가 내 주변만이 아니라 도처에 산재해 있다는 사실을, 그러니까 돈과 계산을 통하지 않고도 일상을 영위할 수 있는 사람들이 생각보다 많이 있다는 사실을, 한 출판인과 나누었던 전화통화를 떠올리며 비로소 알게 되었다.

다시 돌아간다면 그때도 회사를 그만둘 것인가

레슬리 베네츠, 『여자에게 일이란 무엇인가』

엄마들 넷이 모인 자리였다. 오랜만의 만남. 저녁 식사 후의 티타임. 아이 여덟 명을 먹인 뒤 식탁에 둘러앉아 동료들과 차를 마시는 시간. 엄마라 불리는 여성들의 일과 중 가장 달콤한 순간의 도래를 맞아 우리는 가열하게 이야기를 풀어놓았다.

"취직하고 싶어!"

앞다퉈 각자의 근황을 말하던 도중 한 엄마가 불쑥 말했다.

"나도!"

옆에 있던 다른 엄마가 응수했다.

"나도!"

질세라 맞은편에 있던 엄마도 말했다. 나는 조심스레 분위기를 살폈다. 갑작스러운 화제 전환에 기다렸다는 듯이 '나도, 나도'를 연발하는 분위기가 조금 놀라웠다.

"언니, 일하고 싶어?"

나만 가만있으면 안 될 것 같아 최초의 발화자에게 물었다.

"당연하지. 회사 다니고 싶어."

"언닌 지금도 회사 다니잖아."

취직 이야기를 꺼낸 엄마는 남편이 운영하는 회사에서 경리 일을 봐주고 있었다. 매일 출근하는 건 아니고 일주일에 서너 번 잠깐 나가 일했지만 우리 중에 직장인, 그러니까 집이 아닌 다른 장소에 정기적으로 가서 일하는 사람은 그 엄마밖에 없었다.

"남편 회사 말고 진짜 회사. 제대로 된 회사에 가서 정식으로 일하고 싶어."

그녀가 긴 한숨과 함께 이야기를 풀어냈다. 아이들이 어느 정도 컸으니 이제 사회에 나가 일하고 싶다고. 너무 답답하다고.

"시내에 있는 회사, 뭐 시청 근처? 아니면 공덕동? 그런 데로."

구체적인 지명이 나오자 다른 엄마들이 한마디씩 거들었다.

"난 기왕 일하는 거 강남으로 가고 싶어. 삼성동 같은 데."

"여기서 강남은 출퇴근만 서너 시간이야. 난 그런 데 말고 가까운 데 가고 싶어. 삼사십 분 정도면 가는."

화제는 회사에 들어갈 경우 받게 될 연봉·휴가·복지, 출퇴근 시 입을 옷으로 확장되었고, 상상은 사원증을 목에 걸고 달랑거리며 또각또각 구두 소리를 내는 구체적인 이미지에 이르렀다.

나는 고개를 끄덕이며 엄마들을 쳐다보았다. 미래에 다닐 회사의 모습을 그리며 빠르게 말을 이어나가는 엄마들을. 다소 이상적으로 그려진 (연봉 1억에 유류 비용까지 나오며 출퇴근 시간은 자유스러운) 각자의 꿈의 회사를 말하는 이들의 눈은 흥미로 반짝이고, 입술은 부드러운 곡선을 만들어냈다. 화색이 돈다는 말을 이럴 때 쓰겠다 싶은 그런 얼굴들을 보고 있으려니 마음 한구석이 찡해왔다.

"자기는 회사 안 가고 싶어?"

잠자코 있는 나를 보고 한 엄마가 말했다.

"왜 안 가고 싶어요. 만날 회사 가고 싶단 생각 해요."

그러자 엄마들은 자기는 작가인데 회사 같은 데를 뭐 하러 가냐, 난 자기처럼 자기 이름으로 된 책 내면 소원이 없겠다, 회사에 매이지 않고 집에서 자유롭게 일하고, 일할 수 있으니 얼마나 좋냐며 화제를 '능력 있는 프리랜서' 쪽으로 돌렸다.

나는 작가는 허울만 좋지 실체가 없는 일이다, 수입도 변변치 않고 허파에 바람만 잔뜩 들어간다, 주야장천 혼자 앉아서 하는 일이라 외로워서 돌아버릴 것 같다는, 매일 늘어놓는 피라미 작가의 변을 나열하다가 슬쩍 다른 화제로 넘어갔다.

밤 아홉 시. 엄마들이 아이들을 데리고 각자의 집으로 돌아간 뒤 설거지를 하고 어질러진 집을 정리하는데, 조금 전에 있었던 대화가 머릿속을 맴돌았다. 취직하고 싶어. 나도. 나도.

근래 들어 누구누구 엄마가 회사에 들어갔다거나 가게를 냈다는 이야기, 자격증을 따러 다닌다는 얘기가 많이 들려온다. 큰아이가 중학교 2학년, 작은아이가 초등학교 4학년. 이제 그런 시기가 온 것이다. 손 가는 일이 많아 일하러 나간다는 건 꿈도 꾸지 못했던 시기를 지나 조금씩 아이들이 독립하고 엄마가 다시 자기 '일'을 생각하는 시기. 이른바 '경단녀'가 되어 집에만 있다가 다시 세상에 나가기 위해 창을 열고 밖을 기웃거리는 시기. 내가 생의 한 모퉁이를 돌아 새로운 경로에 들어섰다는 걸, 이날 동료 엄마들의 말을 통해 알았다. 나가서 일하고 싶다는 막연한 소망의 언어들을 통해.

'밖에 나가서 일하는 것', 즉 취업에 대한 전업주부들의 반응은 두 갈래로 나뉜다. 하나는 아이들을 키우고 살림에 전념하는 지금이 좋다는 반응, 하나는 집에서 벗어나 회사에서 일하고 싶다는 반응. 내 아이들이 어렸을 때 만났던 엄마들 사이에서는 전자의 반응이 우세했다. 아이들이 아주 어리니 옆에 있어 주고 싶다, 아이들과 남편을 잘 보살피는 게 나의 행복이다, 전업주부로 사는 것에 만족한다, 일하는 엄마들 애들 보면 너무 불쌍하다 등등. 일하고 싶다는 목소리를 내는 엄마들도 종종 있었지만 주도권은 대부분 전업주부로 있는 게 낫다는 목소리 쪽으로 돌아갔다. 직장 생활에 목말랐던 나는 '일하고 싶다'는 말을 마르고 닳도록 하고 다녔는데, 그럴 때마다 '집에서 살림만 하고 싶어도 못 하는 엄마들도 많다'는 말이 날아왔다. 돈 벌러 나가지 않아도 되는 데 감사한 줄 알고 열심히 살림하라는 요지의 말이. 그러면 나는 곧바로 입을 다물었다. 당황한 기색을 보이지 않고 순간을 넘겼지만, 마음엔 뭔가 찜찜한 게 남았다. 내가 상대를 공격한 듯한 느낌이랄까. 회사 다니고 싶다는 말은 지금의 처지가 싫다는 말로, 같은 전업주부인 자신을 비하하는 말로 들렸을 수 있다. 그 엄마는 아이를 위해 혼신의 힘을 다하며 살아가는 자신에게 찬물을 끼얹는 느낌을 받았으리라.

나는 10여 년 전에 만났던 엄마들이 일하고 싶다고 노래를 불러대는 나를 못마땅히 여겼던 이유를 요즘 들어 만난 엄마들의 취직 소망가를 들으며 비로소 알았다. 아주 어린 꼬맹이를 둔 엄마들에게는 그런 말이 고문처럼 작용했으리라는 사실을. '가능하지 않은 일을 굳이 말해 무엇 하나', '기왕 하는 일 좋은 마음으로 하고 싶다', '내 인생과 내 선택을 무가치한 것으로 돌리고 싶지 않다', 그런 마음 아니었을까. 그런데 내 욕망에만 충실했던 나는 그 옆에서 눈치도 없이 떠들어댔던 것이다. 일하고 싶어! 밖으로 나가고 싶어! 답답해죽겠어!

엄마들이 나누는 대화에 '취직'이라는 화두가 나와도 크게 의견이 나뉘지 않는 분위기를 맞닥뜨리고 나서야 나는 깨닫는다. 사람은 해당 분야의 물꼬가 트일 때, 가능성이 직접 시야에 들어올 때에야 비로소 소망을 제 바깥으로 꺼내놓는다는 것을. 이는 현실적인 취직 가능성을 말하는 것이 아니다. 그보다는 엄마들에게 시간 여유가 생겼다는, 이제 24시간 아이 옆에 붙어있지 않아도 되는 시기가 도래했다는 면에서의 가능성, 그러니까 구직자 쪽 마음가짐 면에서의 가능성을 말한다. 가용 시간이 늘어남과 동시에 넘볼 수 있는 경계선의 범위가 자동 확장되었다는 것. 실질적인 취업 절차는 아직 레이더에 잡히지도, 레이더를 작동시킬 의지도 생겨나지 않았으리라. 이제 막 시작된 국면이니까.

이는 사회 통념과 정확하게 일치한다. 사회는 갓난쟁이를 둔 여성에게 집으로 돌아가라는 사이렌을 열성적으로 울려대지만,

엄마로만 사는 10여 년이 흐르고 여성이 엄마가 아닌 다른 정체성을 요하기 시작하면 차갑게 외면한다. '집으로 돌아가는 것까지는 좋았어. 하지만 그다음부터는 내 알 바 아니거든'이라고 말하는 셈이다. 아이가 엄마보다 또래 친구들과 시간을 보내고 싶어 하는 시기가 오면 엄마는 알아서 집을 나가야 한다. 엄마가되기 이전에 받던 월급의 3분의 1도 받지 못하든, 그런 일조차구하지 못하고 여기저기 떠돌아다니든 모두 각자가 해결할 문제지 사회가 신경 쓸 바는 아니다.

물론 가치관과 지향점은 다 달라서 아이가 중학생이 된 이후에도 취업을 고려하지 않는 엄마들도 있다. 전업주부 대열에뒤늦게 합류한 이들, 힘들게 가정과 직장을 양립시키다 마지막순간에 회사를 그만둔 이들이 대표적 예일 것이다. 회사 일과 집안일로 정신 차릴 겨를 없이 마음은 언제나 좌불안석이요, '나는 나쁜 엄마'라는 죄의식에 끊임없이 시달렸던 이들. 반면에 직장 생활이라는 터널 없이 바로 전업주부가 된 이들은 '일'에 대한 갈증이 있다. 이들은 힘들어도 좋으니 내 일과 내 명함을 갖고 싶다는 소망을 품고 있다가 아이의 초등학교 졸업을 맞아 밖으로 성큼 꺼내놓는다. 나는 둘째를 가진 다음 회사를 나왔으니 이 두 부류의 중간쯤에 속했다고 보아야 하리라. 버티자면 버틸 수 있었지만 퇴사했고, 전업주부가 되자마자 직장 생활을 갈 망했다. 꿈속에서 나는 회사에 다닌다. 어머, 내가 그만둔 게 아니었네? 아직도 내 자리가 있네? 아이고, 좋아라. 그렇다면 나는 그때의 선택을 후회하는가? 다시 돌아간다면 회사 생활을 유지할 것인가? 궁리해보지만 선뜻 답할 수가 없다. 어떻게 생각하면 계속 다니는 게 맞는 듯한데, 또 어떻게 생각하면 그래도 그만두길 잘 했다는 마음이 들면서 고개를 갸우뚱하게 된다.

레슬리 베네츠의 『여자에게 일이란 무엇인가』의 원제는 The Feminine Mistake로 '여성의 실수'라는 노골적인 메시지를 담은 책이다. '비즈니스 정글보다 더 위험한 스위트 홈에 대하여'라는 한글판 부제를 단 이 책은 여성들이 아이를 낳은 뒤 회사를 그만두는 것을 '치명적인 실수'라고 말한다. 회사 일과 아이 돌보기라는 두 가지 과업을 동시에 수행하느라 눈코 뜰 새 없이 바쁜 여성들은 가슴에 의문을 품고 다닌다. 내가 저런 갓난애를 두고 회사에 나가는 게 맞을까? 돈 몇 푼 벌겠다고 저 핏덩이를 남의 손에 맡기는 게 옳은 일일까? 그러고는 결국 직장을 관둔다. 육체적·정신적으로 시달리다가 견디지 못하고 아이를 돌보는 쪽을 택하는 것이다.

저자는 이런 여성들의 선택이 경제적 의존을 불러온다고 말한다. 이유가 무엇이든, 주어진 상황이 어떻든 다른 사람에게 장기간 생계를 의존하는 건 위험한 행동이라고. 남편 혼자 가족의 생계 부양을 책임지는 건 여성뿐 아니라 가족 모두에게 위험하다. 남편의 실직, 남편의 변심 혹은 남편의 갑작스러운 사망과 같은 변수에 안전판 없이 그대로 노출되기 때문이다. 여성들은 귓전에서 들려오는 아기의 울음소리에 휘말려 회사를 그만두지만 장기적으로 봤을 때 아이에게 치명적인 요인으로 작용할 '경제적 요인'은 간과한다. 남편을 통해 들어오던 생활비가 끊기면 무엇으로 아이를 먹이고 입히고 교육할 것인가?

여성이 아이를 낳은 뒤에도 일을 그만두지 말아야 하는 이유는 만일에 벌어질지 모르는 생계 부양자로서 역할 때문만이 아니다. '일'이 가져다주는 것은 일정액의 금전만이 아니다. 일은 수행하는 이에게 뭔가를 성취했다는 만족감을 안겨주고, 일로 인해 파생된 사람들과의 '관계'를 선사한다. 누군가의 엄마가 아닌 자신의 이름으로 불리며 부과된 일을 하고, 수행해낸 일의 성과를 통해 다른 이들에게 인정받는 경험은 그의 가슴에 차곡차곡 쌓여 만족스러운 자아상을 만들어낸다. 내가 유능한 사람이라는, 사회에 속해서 제 몫을 해내고 있다는 확신을 가슴속에 품고 다니며 활기차게 생을 이어가게 한다.

저자는 엄마 대신 아이를 돌보는 이에게 치러야 하는 비용과 엄마인 여성이 바깥에서 벌어 오는 금액이 비슷하다고 해서 일을 그만두는 것도 현명한 선택이 아니라고 일갈한다. 당장은 벌어 오는 돈이나 보모에게 나가는 돈이 비슷해 보이지만, 일을 계속하다 보면 월급은 점점 더 많아지는 반면, 보모에게 들어가는 비용은 아이의 성장과 함께 줄어든다. 또한 일은 단순히 '돈벌이'만을 의미하는 것이 아니라 한 사람의 유능함을 증폭시키고 풍부한 인간관계를 불러오는 것이기에, 아무리 힘들어도 몇년간 버티며 일과 가정을 양립시켜야 한다.

아이들의 반응 또한 엄마가 된 여성이 계속 일을 해야 함을 암시한다. 아이가 '늘 옆에 있어 주는 엄마'를 좋아하는 기간은 기껏해야 10년 안팎이다. 커가면서 아이는 점점 엄마의 보살핌을 필요로 하지 않게 되며, 일정한 나이가 되면 "엄마는 왜 일 안해? 내 짝꿍 엄마는 학교 선생님이라던데" 같은 말로 엄마의 가슴에 대못을 박는다. 특히 딸을 둔 엄마의 경우에는 롤 모델 역할을 위해서라도 일을 해야 한다. 가장 가까운 성인 여성인 엄마가 바깥일을 하면서 자신만의 영역을 고수하는 모습이 집에서 '엄마로만' 사는 모습보다 딸에게 바람직한 여성상으로 맺히기 때문이다.

여성이 일을 지속하는 건 민주적인 가정 분위기 조성에도 도움이 된다. 엄마가 일을 하면 아빠나 아이들과 집안일을 분담하게 되고, 그 과정을 통해 아이들은 협동과 민주적인 의사 결정 과정을 배우게 된다. 그렇게 자란 아이는 타인과 합리적으로 일을 분담하거나 갈등에 대처하는 어른이 된다.

저자는 전업주부를 찬미하고 밖에서 일하는 여성을 비하하는 사회 분위기를 매섭게 비판한다.

우리 문화는 남자들이 집 밖에서 활동적이며 헌신적인 삶을 보내는 것은 당연시하면서, 여자들이 사방의 벽으로 둘러싸인 집 안의 삶에 만족하지 못하면 나쁜 엄마, 나쁜 사람 취급한다. 이런 사회적 분위기 속에서 많은 직장 여성들은 고개를 숙이고 다닐 수밖에 없다. 그들은 대부분 자신의 능력이나 성과에 대해 침묵한다. 일에 대한 열정도 표현하기를 꺼린다.[3]

이 부분을 읽으면서 나의 '취업맘' 시절을 떠올렸다. '맞벌이' 하는 주부라고 불렸던 나는 틈만 나면 생활비 때문에 나도 일을 해야 함을 강조했다. 내가 '아이를 외면하고' 출근하는 것은 오로지 돈을 벌기 위해서라고 여기저기 떠벌리고 다녔다. 직장 생활을 한 게 꼭 돈 때문만이 아니었지만, 일함으로써 느끼는 만족감과 다양한 사람과의 교류에서 오는 혜택을 내심 즐겼지만, 그런 말은 절대 입 밖에 내지 않았다. 암묵적으로 전달되어오는 사회의 분위기를 알아채고 선제적으로 대응했던 것이다. 저자에 따르면 이런 사회 분위기는 가사 이상의 것을 추구하는 여성의 욕구를 좌절시킨다. 그뿐만 아니라 아직 사회생활에 발을 내딛지 않은 젊은 여성들에게도 막대한 영향을 끼친다. 이러한 영향력에 대한 염려는 저자가 이 책을 집필하게 된 직접적 동기이기도 하다.

책의 후반부에 저자는 전업주부와 함께 살면 지적으로 빈곤해진다고 생각하는 남자의 사례를 기술하는데, 이 부분은 일찌감치 전업주부의 길을 택했던 사람으로서 참 가슴 아팠다. 전업주부를 '머리가 녹슬고 활기도 잃었다'라고 표현하는 남자의 사례를 소개한 뒤 저자가 내리는 결론은 다음과 같다.

전업주부들은 남편이 자신이 집에서 하는 일의 가치를 알아준다고 주장한다. 그러나 대부분의 남성이 여성의 역할에 관해 솔직히 얘기할 때, 전업주부를 비하하는 경향을 보인다. 남편들은 아내의 뒷바라지에 고마워하면서도 한편으로는 여

성을 존중하지 않는다.[4]

이 부분을 읽는데 꼬박꼬박 수입을 가져오는 남편과 그렇지 않은 나 사이에 일었던 미묘한 알력, 남편이 나의 지출 행위에 못마땅해 하는 기색을 보이면 잠을 이루지 못하고 서러워했던 밤, '더럽고 치사해서 내가 내일부터 돈 벌러 나간다' 결심하며 불끈 주먹을 쥐었던 순간들이 떠올랐다. 그랬다. 자기 이름으로 된 통장에 일정 액수의 금액을 찍어 오는 사람은 남편이었고, 경제적 결정은 모두 남편이 내렸다. 남편은 가사 분담도 잘 하고 집 안일을 떠맡는 나를 존중해주는 부류에 속하는데도 그랬다. 생활비에 해당하는 금액을 타 쓰면서, 평소와 다른 특별 지출이 생길 경우 변명하듯 용처를 설명하면서 얼마나 굴욕감을 느꼈던가. 얼마나 떨렸던가. 심각한 일로 받아들이고 인식해내지 못했을 뿐 분명 그런 게 있었다. 윗사람에게 결재받는 느낌. 누군가의 의지에 내 안위가 걸려 있다는 느낌. 스멀스멀 산재해 있던 그 음산한 느낌을 떠올리며 나는 연신 몸을 떨었다.

솟아오르는 의기와 현실에 대한 한탄을 동시에 자아내는 이 책은 여성이 어떠한 경우에도 일을 지속해야 한다는 주장으로 끝난다. '직장맘'의 스트레스에 대한 해결책은 일을 관두는 것이

아니라 남성이 여성의 집안일 부담을 덜어주는 것이라고 확언
하면서. 여성이 자신의 직업·수입·재정적 자치권을 자유롭게 유
지할 수 있도록 해야 한다는 저자의 단언을 듣고 있으면 가슴이
뻥 뚫린 것처럼 시원해지면서 일종의 대리 만족을 맛보게 된다.
힘이 불끈 솟고, 지금이라도 집을 박차고 나가면 될 것 같은 기
분이 든다.

그러나 책을 덮고 나서 일상으로 돌아오면 슬며시 의문이
솟아오른다. 그럼 아이들은? 알 수 없는 사람의 손에 맡겨지는
아이들의 마음은? 물론 저자의 말은 구구절절 옳다. 이상적으
로 생각할 때 나는 여성이 집에 있는 것보다 나가서 일하는 쪽
이 낫다고 생각한다. 경제적·정신적·정서적으로 그편이 훨씬 나
은 결과를 불러올 것 같다. 하지만 현실로 돌아와 보면 주춤하게
된다. 가정은 인류에게 남겨진 마지막 공동체가 아닌가. 아이들
이 속하게 되는 최초의 집단이며 아마도 최후의 집단이 될 그런
곳이 아닌가. 가족은 다른 누구와도 공유하지 않는 것들을 공유
한다. 재산·몸·비밀·치명적인 단점 등 타인과 절대로 나누지 않
을 것들을 현대인은 오직 하나의 공동체, '가족'과 공유한다. 사
적 소유권이 다른 모든 권리에 우선하는 자본주의사회를 사는
우리는 오직 가정에 있을 때만 '내 것 네 것'을 따지지 않고 서로

를 대한다. 사람들이 행복한 모습을 그릴 때 반드시 가족과 함께인 장면을 포함하는 것은 이런 이유 때문이리라. 가족은 원시시대에 있었다는 '나눔'의 삶, 내 것 네 것 따지지 않고 사냥해 온 고기를 똑같이 나누어 먹는 원시 공산제를 실현할 지상 최후의 '공산주의' 공동체이기 때문에. 계산 없이 '나'를 주고 '너'를 건네받는 유일한 집단이기 때문에. 그리고 전업주부는 이런 '가정 공산주의'를 지키는 최후의 보루이다. 한 여성이 물질적 대가 없이 '따뜻한 가슴'을 한없이 베풀어 이런 보루를 지켜야 한다는 사회적 강제가 아무리 부당할지라도, 한 사람의 희생으로 지탱되는 구조에서 오는 여러 부작용과 폐해를 간과할 수 없다 할지라도, 현재를 살아가는 우리들에게 있는 규범적 삶의 형태, 공동체의 형태는 가족밖에 없다. 이에 대한 대안은 이론상으로만 존재할 뿐, 현실에서 구체적이고 안정적인 형태로 자리 잡지 못하고 있다. 그런데 어떻게 이를 포기한단 말인가. 지상의 마지막 공동체를 방어하는 역할을 어떻게 내동댕이친단 말인가.

물론 이런 방어를 직장과 양립시키면서 해낼 수도 있을 것이다. 높은 수입과 일정 수준의 복지가 갖춰진 직장에 다니는 여성이라면. 그러나 현실에서 그런 직장에 다니는 여성은 극소수에 불과하며, 나머지 대다수의 여성들은 차별과 모멸을 감내하며 직장 생활을 한 끝에 교통비와 식대도 채 되지 않는 보수를 받으며 살아간다. 학교에서 스마트폰으로 내보내는 가정통신문 앱 시스템의 공식 이름이 '스쿨맘'인 (스쿨대드나 스쿨페어런츠가 아닌) 사회에서, 직장맘에 대한 공식적·비공식적 배려가 전무하다시피 한 사회에서, 터무니없는 보수를 받으며 여성이 직장 생활을 이어가는 게 과연 가능할까? 저자는 우리보다 여권이 전반적으로 높은 미국에 거주하는 기자 출신 작가이다. 집필한 작품이 바다를 건너 내게도 왔을 정도로 영향력 있는 작가이니 필시 인세만으로도 생활비를 훌쩍 넘는 소득을 올리고 있으리라. 저자가 이러한 현실에 대한 고려를 충분히 하지 못하는 것은 그런 환경 때문일까? 내 의문은 저자와 나의 그러한 사회적·문화적 차이 때문에 생겨난 것일까?

메아리치는 물음이 일긴 했지만, 그래도 총체적으로 평가하면 상당히 유용한 책이었다. 직장을 그만두고 전업주부가 되던 당시의 나를 돌아보며 몇 가지 인과관계의 퍼즐을 끼워 맞출 수 있었고, 경제적 자립에 대한 경각심도 마음에 굵게 새겨 넣을 수 있었다. 책의 내용을 전면적으로 다 받아들이지 않는다 하더라도 일부를 내 마음에 동력으로, 박차고 나아갈 계기로 품고 갈 수 있으리라. 이 시점에서 다시 묻는다. 다시 돌아간다면? 둘째

아이를 가졌던 그때로 돌아간다면, 너는 그때도 회사를 관두고 전업주부의 길을 택하겠는가? 한동안 움직이지 않던 내 고개가 천천히 위아래로 움직인다. 저자가 무슨 말을 하고 싶어 하는지 알겠고 어느 정도 공감하지만, 선택의 순간이 다시 와도 나는 회사를 나올 것 같다. 후회하게 되더라도.

일과 가정을 양립시키느라 힘들어하는 직장맘들에게, 출산휴가나 육아휴직을 마치고 회사로 돌아가면서 죄책감의 폭풍우에 휩싸여 있을 복귀맘들에게 권하고 싶은 책이다. 상당 분량의 죄책감을 덜고 그 자리에 자신감을 채워 넣게 될 것이다. 아울러 '나는 아이 키우고 살림만 하면서 살 수 있어 너무 행복하다'고 꽉 믿고 있는 전업주부들에게도 살짝 내밀어보고 싶다. 너무 강한 믿음은 순식간에 사라지는 신기루로 변할 수 있으니까. 고개를 끄덕임과 동시에 묘한 반감을 느끼고, 그러면서도 생각의 전환을 맛보는 기쁨을 만끽하게 될 것이다.

나는 왜 요리를 싫어하게 되었을까

라문숙, 『전업주부입니다만』

이번에는 완전히 다른 색깔의 책을 소개하고 싶다. 라문숙의 『전업주부입니다만』. 어떤가. 제목만 들어도 벌써 어떤 책인지 알 것 같지 않은가. 그러나 이 책은 제목이 풍기는 어떤 예감을 희한하게 배반하는 책이다. 전업주부라는 나의 타이틀, 이웃집 엄마의 타이틀, 우리네 엄마들의 타이틀을 전투적으로 방어할 것 같은 제목을 내건 이 조그만 책은 철저히 물질적이다. 시종일관 어떤 물건에 대해 혹은 생활에서 일어나는 구체적 행위에 대해 묘사한다는 점에서. '복사꽃', '여름 마당', '개양귀비', '약한 불에 다섯 시간' 등 이러한 소제목을 단 짧은 글들은 어느 지점에서도 전업주부에 대한 가치나 당위를 기술하지 않는다.

나는 집안일을 좋아하지 않는다. 잘하지 못하고, 잘하고 싶은 마음도 없다. 아이들에게 영양가 있는 음식을 먹이고 싶다는 목적의식이 치솟아 오를 때는 일시적으로 요리를 잘하고 싶다는 열망에 잠기기도 하지만, 그 기운이 가라앉으면 집안일은 바로 짐이자 부담, 하기 싫은데 해야 하는 천형으로 변한다.

그래서 이런 책을 읽으면 궁금해진다. 나는 왜 요리를 싫어하게 되었을까? 왜 청소와 빨래라면 인상부터 쓰게 되었을까? 태어날 때부터 이런 일들을 싫어했던 건 아니다. 내가 '집안일'이라 불리는 노동, 나와 가족들의 먹고 자고 입는 행위를 보필하기 위한 매일의 노동을 싫어하게 된 것은 결혼하고 난 다음부터였다. 결혼과 함께 수많은 종류의 집안일이 나의 '의무'가 되었고, 구름처럼 많은 이들이 내게 그 의무를 실행하라고, 그것도 곱게 화장한 얼굴로 활짝 웃으며 실행하라고 권고했다. 누가 의무라고 정해주면 그 일을 미치도록 싫어하는 습성이 있는 나에게는 결과가 뻔히 내정된 행로였다. 이는 성장 과정에서 내가 집안일을 많이 하지 않으며 자랐다는 사실과도 관련이 있으리라. 나는 동기간이라고는 언니 한 명만 있는 단출한 가정의 차녀로 자랐다. 부모님은 성별을 이유로 차별하지 않았음은 물론 (차별할 성별이 없었으므로), 언니와 내게 똑같은 액수의 용돈을 줄 정도로 '공평함', '평등함'을 강조하며 자식들을 키웠다. 우리 집에서 안 되는 걸 되게 하고 싶으면 한마디만 하면 됐다. "이건 불공평해!" 그러면 모든 게 원하는 대로 이루어졌다. 내 입에서 공평하다는 말이 나올 때까지 부모님이 갖은 조치를 취했던 것이다. 만일 내게 오빠가 한 명 있고, 어릴 때부터 오빠의 밥을 차려주고 오빠가 먹은 그릇들을 설거지하고 하라는 심부름을 두말하지 않고 해내는 동생으로 자라났다면, 그러니까 성별을 이유로 일정한 집안일을 감내해야 한다는 사회화를 받으며 자랐다면, 결혼과 함께 구름처럼 많은 인파가 내게 이제부터 너는 밥하고 빨래하고 청소하는 일을 운명으로 받아들여야 한다고 말했을 때 그토록 크게 반감을 갖지 않았을 것이다. 요리라면 치를 떨고, 청소라면 어떻게든 내뺄 궁리를 하고, 빨래가 산처럼 쌓여 있어도 내가 해야 한다는 정당한 맥락이 잡혀 있지 않으면 절대로 쳐다보지 않는 인간이 되지도 않았을 것이다.

이 책의 저자는 왜 나처럼 되지 않았을까? 왜 요리를 그렇게 즐기고, 집안일 하나하나에 숨은 아름다움을 발견해내고, 집 안 구석구석에서 살아 있음의 증거를 찾아내는 사람이 되었을까? 저자는 혹시 손위로 오빠가 있고 밑으로 동생들이 줄줄이 있는 집안의 장녀였을까? 어머니가 성별 분업을 당연한 일로 여기고 기쁘게 받아들이는 분이었을까? 요리와 청소와 빨래를 싫지만 어쩔 수 없이 수행해야 하는 일이 아니라 할 때마다 자신을 살아 있다고 느끼게 해주는 생명력 넘치는 일이라고 감사히 받아드는 분이었을까?

이쯤에서 고백해야겠다. 얼굴 한 번 본 적 없는 어떤 작가의 집안사까지 궁금해하며 오지랖의 날개를 퍼덕거리는 이유를. 그것은 이 책을 읽으며 내가 일말의 패배감, 일말의 열등감을 느꼈기 때문이다. 일단 글을 한 단락 보자.

완성된 음식을 앞에 놓고 모여 앉은 이들은 그 음식을 만들기 위해 주방에 있던 나의 수고를 알지도 모른다. 그러나 내가 냄비 앞에서 홀로 누렸던 즐거움에 관해서라면 누구와도 나눌 수 없는 나만의 몫이라는 사실에 동의해야 한다. 김이 나는 냄비, 물이 끓는 주전자와 달구어진 오븐의 수다에 끼어 있다 보면 내 앞에 놓인 하루의 불확실함과 어지러운 시절에 대한 염려가 사라진다. 따뜻해진 주방에는 모닥불을 찾아 사람들이 모여들듯 활기가 돈다. 굳은 얼굴이 나도 모르게 펴지고 마음에도 온기가 더해진다.[5]

이런 글 앞에서는 숙연해지지 않을 도리가 없다. 요리가 주는 기쁨에 빠져드는 한 사람. 김이 피어오르고 향이 섞이고, 음식이 달구어지며 달그락거리는 소리가 나는 주방에서 한 존재가 맛보는 몰아의 순간. 이런 순간은 차라리 하나의 제의다. 내가 나에게 보내는, 살아 있음에 경의를 표하는 찬미의 시간. 나는 주방이라는 곳을 이런 식으로 체험해본 적이 없다. 이렇게 체험할 수 있다는 생각도, 체험해보고 싶다는 생각도 해보지 않았다. 주방은 언제나 내게 이데올로기였다. 왜 내가 이곳에 있어야만 하는가? 원래 나는 이곳이 아닌 세련되고 멋진 곳에 속해야 하는 사람이거늘, 왜 내가 이런 '사소한' 일에 평생을 저당 잡혀야 하는가?

반감에 지배당해 자유로워질 기회를 스스로 봉쇄했다 해야 할까. 그러나 심오한 이상과 수많은 말장난, 들끓는 의기에 점령당했던 한 시절이 지나가자 스산한 찬 바람이 불어왔다. 차갑지만 청결한, 세상만물을 한 번씩 들썩이게 만들고 사라지는 그런 바람이. 그리고 나는 이렇게 묻게 된다. 결국 우리를 살아가게 하는 것은 작은 사물, 작은 순간, 작은 만남이 아닌가? 세상에 불변의 진리는 없으며, 영원한 관계도 없다. 오직 존재하는 건 지금 이 순간의 나, 지금 내 옆에 있는 물건들, 지금 내 옆에서 숨 쉬고 움직이는 사람들, 그리고 그런 물건과 사람과 내가 만들어내는 어떤 찰나뿐. 지금 일어나는 현상 그 자체에 육박하지 않고 보고 들은 수많은 풍문에 집중해 순간을 흘려보내는 것처럼 멍청한 행동이 또 있을까. 나는 알아버린 느낌이었다. 내가 무엇을 놓쳤는지. 어떤 기쁨들이 내 곁을 맴돌다 안착하지 못하고 날아가 버렸는지.

부끄럽지만 고백해야겠다. 전업주부가 되었던 초기, 나는 나의 정체성을 달가워하지 않았다. 주부라니. 내가. 주부라니. 어린 시절, 나는 한 번도 장래 희망으로 주부가 되고 싶다고 써넣은 적이 없었다. 나는 의사나 변호사나 연극배우나 CEO가 될 예정이었다. 밥하고 청소하고 빨래하는 행위로 매일을 채우는 사람이 될 마음은 추호도 없었다. 그런데 그것이 내 정체성이라니. 앞으로 영원히 그렇게 살아야 하다니. 싫어! 그러고 싶지 않아! 그런 마음으로 지금까지 살아왔음을, 이 책을 읽으며 깨달았다.

이 책이 전업주부로 사는 삶을 언설로 옹호했다면, 전업주부의 삶도 가치 있으며 자신이 전업주부로 살아 자랑스럽고 만족스럽다고 목청껏 외쳤다면, 나는 이토록 통렬하게 설복당하지 않았을 것이다. 이 책의 저자는 그런 말은 한마디도 하지 않는다. 오히려 자신이 집안일을 핑계로 스스로에게 내재했을 다른 자아를 방치하고 있을지도 모른다는 자각을 은밀히 내비친다. 그럼에도 이 책이 이분법적이고 각박했던 내 자아를 돌아보게 만든 것은 저자가 자신을 철저히 사물들과 밀착시키고 있기 때문이다. 작은 사물, 작은 일상의 순간에 자신을 밀착시키고, 그 순간에 합일하는 기교를 솜씨 있게 펼쳐 보여주기 때문이다.

참 재미있는 일이다. 나는 '여성은 집안일에서 벗어나 자기 일을 찾아야 한다'고 틈만 나면 떠들어대는 그런 종족이다. 아마 앞으로도 그런 종족으로 살아갈 것이다. 그런데 『여자에게 일이란 무엇인가』보다는 이 책, 『전업주부입니다만』에 더 깊이 공감했다. 이렇게 살고 싶다는 생각까지 했다. 그것은 내가 여권이 높지 않은 한국에 거주하고, 전업주부로 오래 생활했으며, 지금도 작가라는 허울 좋은 외피를 둘렀지만 정체성의 팔 할이 주부인 삶을 살고 있기 때문일까? 아니면 가치와 당위를 설파해대는 가르침형 글쓰기보다 사물에 대한 묘사를 바탕으로 하는 작가의 담담한 글쓰기 스타일이 내 선호도와 맞아떨어졌기 때문일까?

그러나, 그럼에도 불구하고, 역시 의문은 솟아오른다. 빈말은 꿈에도 하지 않는 사람일 것 같은 이 작가, 말보다는 행동과 실천으로 메시지를 던지며 살아왔을 것 같은 이 작가, 사실 이 작가도 화나는 순간이 있지 않았을까? 퇴직한 남편의 삼시 세끼를 다 차려주고 설거지까지 해야 하는 상황을 부당하다고 여긴 적이 있지 않았을까? 다른 이들은 정년이면 맞는 퇴직이 주부에게는 언제 오는가. 주부는 그런 것 없이 평생 일해야 하나. 그건 너무 불공평하지 않은가. 작가도 이런 의문을 품은 순간이 있지 않았을까?

2장

핵심은

'돈'에

있다

내가 살고 있는 세상은 어떤 곳인가

카를 마르크스, 『자본론』

돈에 관한 소설을 구상하던 때였다. 소설의 개요를 잡아가는 와중에 읽어야 할 책 목록을 작성했는데, 『자본론』이 들어갔다. 카를 마르크스의 대표 저서인 『자본론』은 그전에도 읽어야 할 책 목록에 여러 번 포함되었지만 너무 어렵다는 이유로 매번 떨궈져 나갔다. 하지만 이때는 차마 뺄 수가 없었다. 돈에 관한 소설을 구상하는 자가 『자본론』을 피해 간다니. 아무리 꼼수를 부려보아도 그건 말이 안 될 것 같았다. 결국 읽어야 한다는 당위 앞에 고개를 숙였다. 그리고 검색에 돌입했다. 혹시 『자본론』을 알기 쉽게 풀어 설명해주는 강의가 어디 없는지.

다행히 그런 자리가 있었다. 서울 변두리에 사는 내게는 너무 먼 동네이긴 했지만 어쨌든 서울 시내에 『자본론』 강의가 예정되어 있었다. 멀어도 그게 어딘가. 전철 몇 번 버스 몇 번 갈아타는 게 대수인가. 『자본론』을 풀어준다는데. 존재한다는 사실에 감지덕지한 강의였다.

지금 생각하면 '천운'이라 해도 과하지 않을 일이었다. 내가 등록했던 강좌는 일주일에 두 번, 한 번은 강의로 듣고 한 번은 세미나로 진행하는 다소 '빡센' 코스였고, 마지막에는 글을 써서 발표하는 시간이 내정되어 있었다. 공부할 기회를 발견하자마자 입금을 단행했다. 뭐든지 해내려면 돈부터 집어넣어야 한다는 걸 40년이 넘는 인생 경험으로 충분히 알고 있었던 것이다.

『자본론』은 돈을 투자해서 물건을 만들고 그 물건을 팔아 이윤을 남기는 체제, 즉 '자본주의'를 설명한 책이다. 유명하기 그지없는 이 책은 경제학을 따라가다 보면 어느 모퉁이에서 만나게 되고, 사회학을 따라가다 보면 어느 지점에서 마주치고, 철학을 따라가다 보면 예상치 못했던 순간에 맞닥뜨리게 되는 책이다. 고전이라 불리는 여타의 책들이 그러하듯 어느 분과에 속한다고 콕 집어 말하기 어려운 통찰력으로 가득찬 책이다. 개인적으로는 '문학적 색채가 가미된 경제과학서'에 가깝다고 정의내리고 싶다. 추리소설 같은 분위기를 풍기는 과학서라고. 분야를 단정하기 어려운 이 책은 해독해내기만 하면 굉장한 재미를 느낄 수 있다. 다만 초반에 난해한 수식이 많이 나와서 그 재미를 맛보기 전에 포기하는 이들을 속출하게 만드는 까칠함이 있다. 다행히 나는 가르쳐주고 함께 공부해주는 이들 덕에 이 녹록지 않은 책을 끝까지 완주할 수 있었다.

『자본론』에 접속했을 당시 나는 마흔셋이었는데, 그때 처음으로 내가 속한 세상, 즉 '자본주의 체제'가 뭘 의미하는지 이해하게 되었다. 그전에도 '돈'이 중요하다거나 '돈'이 이 세상을 지배한다는 사실은 알고 있었다. 하지만 그건 모두 막연한 차원에서였다. 『자본론』을 읽음으로써 돈이 왜 중요한지, 돈이 인류의 삶을 어떻게 변화시켰는지 깨달았다. 돈이 어떤 경로를 통해 우리네 인생을 지배하고 있는지도.

마르크스는 『자본론』을 통해 알려준다. 이윤을 창출해서 그 이윤으로 다시 이윤을 창출해내 눈덩이처럼 이윤을 불려나가는 이 시스템을 멈추지 않고 계속 굴러가게 만들어주는 핵심 인물이 누구인지. 그것은 바로 '노동자'라는 인물이다. '노동자'는 노동수단을 가진 '자본가'가 자연에서 얻은 천연자원을 가공해 '상품'을 만들어내는 데 핵심적인 역할을 담당한다. 자본가가 지정한 곳으로 가 제 육신을 동원해 석탄이나 누에고치와 같은 천연

자원을 돈과 교환 가능한 '상품'으로 만들어냄으로써. 이렇게 노동자가 만들어낸 상품은 원래의 자원보다 비싼 값으로 팔려나가고, 노동자는 천연자원과 팔려나간 '값'의 차액 일부분을 노동력을 제공한 대가로 돌려받는다. 자본가는 노동자에게 지급한 일부를 제외한 나머지 차액을 소유하고, 소유한 차액을 재투자한다. 이렇게 해서 자본가가 노동자를 통해 상품을 만들어내고 팔아 이윤을 챙기는 과정이 되풀이된다. 이 과정이 반복될수록 자본가의 부는 증폭되고, 노동자는 같은 자리에 머물며 노동력을 팔지 않으면 먹고살기 힘든 상태에 고착된다.

중요한 것은 노동력을 제공해 자본가가 이윤을 챙겨 가도록 하는 데 핵심 역할을 담당했던 노동자가 상품을 사는 '소비자'로도 활약한다는 사실이다. '소비자'는 상품을 팔아 이윤을 남기고 획득한 이윤을 다시 자본으로 투자하는 과정에 없어서는 안 될 또 하나의 중요 인물이다. 노동자는 자본가가 자기 자본을 투자해서 상품을 만들고, 이윤을 남기고, 그 이윤을 재투자하는 과정에서 반드시 있어야 할 핵심 역할 두 가지를 맡아 해낸다. (1) 자연에서 얻은 재료를 상품으로 가공해주는 노동자 역할과 (2) 생활에 필요한 식료품과 의복을 구입함으로써 자본가가 상품을 돈으로 바꾸어 가질 수 있게 해주는 소비자 역할을. 자본주의라는 체제가 굴러가고 유지되게 하는 가장 중요한 멤버가 노동자(=소비자)인 셈이다.

자본주의를 유지하는 핵심 멤버가 자본가라고 생각해왔던 내게는 놀라운 반전이었다. 돈이 돈을 낳으면서 몸집을 불려나가는 데 노동자가 치명적인 역할을 한다는 사실도 놀라웠지만, 이런 시스템이 역사의 과정상 수순처럼 발전해온 '당연한' 과정이 아니라는 사실도 놀라웠다. 학교 다닐 때 우리는 배우지 않았던가. 인류는 주위 사람들과 물물을 '교환'하면서 서로의 필요를 충족하는 '원시시대'에 살다가 차츰 발전해 결국 물건을 사고파는 제도를 만들어내기에 이르렀다고. '자본주의'는 인간의 물물교환이 점점 발전해서 다다르게 된 최종 단계라고. 『자본론』은 이 논리를 산산이 깨뜨린다. '자본주의'는 결코 자연스럽게 전개된 인류 발전의 결과가 아니며, 돈으로 사람의 노동력을 사고파는 체제는 의도적인 탐욕에서 비롯된 '인위적이기 그지없는' 체제라는 사실을 과학적·역사적·철학적 견지에서 꼼꼼히 조명해 보여준다.

생각해보라. 우리가 '자본가'라고 부르는 사람들을. 그들은 어디에서 왔는가? 그들이 소유한 '자본', 즉 재산은 최초에 어떻게 생겨났는가? 신이 태초부터 이 땅은 자본가 누구누구의 땅이

요, 이 천연자원은 자본가 누구누구의 것이라고 명명해주었을 리는 만무할 터, 땅과 물과 천연자원이라는 지구의 일부가 특정 인의 소유가 되는 과정에는 분명히 어떤 사건이 있었을 것이다. 『자본론』은 우리가 당연하게 생각해온 그 개념, 자본가의 '자본', 요즘 말로 하면 '종잣돈'이라 할 그 뭉칫돈의 유래를 파헤친다. 그 뭉칫돈은 착취, 절도 혹은 강도질에서 왔다. 마을에서 몇백 년 동안 공동으로 써왔던 공간에 울타리를 치고, 지금부터 이 공간은 '내 것'이라 천명한 뒤, 그에 의문을 제기하는 사람들을 모조리 없애버리는 방식 혹은 오랜 세월 동안 땅을 일구고 가꾸 어온 사람들을 일거에 내쫓아 그들이 도시로 가 값싼 임금의 공 장노동자로 취업해야만 먹고살 수 있게 만드는 방식으로.

원래 나는 『자본론』을 운동권에 몸담은 전문 선수들이나 읽는 책이라고 생각했다. 세계의 노동자들에게 단결하라고 외치 는 선동적이기 그지없는 책일 거라고. 내 몸과 영혼의 안위에만 열렬히 신경 쓰면서 살아가는 나 같은 속물은 읽을 필요가 조금 도 없을 거라고. 실제 이 책과 만났을 때, 그런 생각이 완전히 오 류였음을 깨달았다. 『자본론』은 노동자들에게 단결하라고 외치 는 책이 아니라 (그런 책은 『공산당 선언』이다) 자본주의의 개념 을 알려주는 책이다. 자본주의 체제의 근본을 파헤쳐 작동 원리와 발전 경과를 선명하게 보여준다. 이 책을 통과하다 보면 알게 된다. 왜 회사에서 만나는 사람들과 하는 돈 계산은 자연스럽게 여겨지는데 가족들과 하는 돈 계산은 그렇게 찜찜하고 하지 못할 짓처럼 여겨지는지. 왜 사람들은 매일 출근해 열심히 일하는데도 늘 먹고살 걱정에서 헤어 나오지 못하는지. 왜 누구는 몸이 부서져라 일해도 제대로 생계를 유지하기조차 힘든데, 누구는 웬만한 집의 전셋값에 해당하는 옷을 걸치고 다니는지.

자본주의의 엔진을 하나하나 뜯어 작동 원리를 들여다보고 나니 무심코 대했던 현상들의 기저에 놓인 인과관계가 뚜렷이 눈에 들어왔다. 그전에는 도대체 경기 침체니 불황이니 하는 말이 왜 잊을 만하면 들려오는지 (만날 불황이래!) 몰랐는데 이제 그 이유를 알 수 있었다. 그것은 자본주의 체제 내에 이미 불황과 침체의 싹이 존재하고, 그것들이 언제든 활짝 피어날 만반의 태세를 갖추고 있기 때문이었다. 콘크리트 덩어리에 불과한 아파트가 왜 몇억씩이나 하는지, 값은 왜 떨어질 생각을 하지 않는지도 이해할 수 있었다. 그것은 이미 전 세계가 자본주의의 자장 안에 들어갔기 때문이었다. 천연자원을 듬뿍듬뿍 퍼 올려 상품을 만든 뒤 다시 그 상품을 팔아 이윤을 챙길 '식민지' 상태의 땅이 더 이상 존재하지 않기 때문. 전 지구의 자본주의화로 자본이 예전처럼 큰 폭의 이윤을 창출하기 힘들어졌고, 그렇기에 이제 사람의 몸이나 사람이 사는 공간 자체를 상품으로 만들어 이윤을 창출해내야 하는 단계에 들어섰기 때문이었다. 서울이나 뉴욕, 도쿄 같은 도시가 국가 브랜드라 명명되고 공간을 이미지 상품으로 만들지 못해 각 지자체에서 안달하는 것과 아파트 값이 쉽게 떨어지지 않는 이유는 같은 맥락에 놓여 있었다.

이런 지식은 자본주의의 한복판에서 평생을 보내야 하는 나에게 굉장한 무기가 되어주었다. 그전까지 나는 집값의 추이를 들여다보며 무리를 해서라도 집을 사야 하는지, 아니면 세를 살면서 평생 집을 소유하지 말아야 하는지 결정하지 못했다. 뉴스에서 어떤 '부동산 전문가'가 집값이 떨어질 것 같다고 말하면 세를 살아 다행이다 생각하며 가슴을 쓸어내렸고, 다음 날 다른 전문가가 앞으로 집값이 오를 것 같으니 지금이 집을 장만할 적기라고 하면 어디서 '땡빚'을 내서라도 집을 사야 하나 하고 발을 동동거렸다. 경제 동향이나 집값에 대해 알기 쉽게 써놓았다는 베스트셀러들을 틈틈이 찾아 읽으며 나름 경제 공부를 한다고 했지만, 도대체 앞으로 집값이 올라갈지 떨어질지 알 수가 없었다. 그래서 늘 불안했다. 일어나는 일들의 근본 원인과 결과를 알지 못하니 매일 작은 일에 놀라고, 알 수 없는 앞날에 대한 두려움으로 몸을 떨었다. 그런데 『자본론』을 읽자 이런 감정들이 해결되었다. 갑자기 해독 가능해진 경제 뉴스와 늘 좋지 않은 경기와 떨어질 생각을 하지 않는 비싼 집값과 그런 현상들의 저변에서 작동하는 커다란 힘이 하나의 줄기에 꿰어져 선명한 형태를 이루며 시야에 들어왔다. 그렇구나! 그랬던 거구나!

그것은 인간의 삶의 의미와 가치에 대해 추상적으로 사고하는 철학서들을 읽었을 때와는 완전히 다른 경험이었다. 내가 살아 숨 쉬는 이곳에서 매일 발생하는 일들을 조명한 생활 밀착형 철학서라고 해야 할까. 『자본론』이 열혈 운동권들만 읽는 책이라 생각했던 나는 얼마나 어리석었던가. 『자본론』은 운동권만이 아니라 평범한 회사원, 작은 가게를 하는 자영업자, 부잣집 아들딸, 높지 않은 소득으로 살아가는 서민 혹은 자본주의 체제에서 어떻게든 좀 잘나가보고 싶은 사람 등 남녀노소를 막론한 모두에게 유용하게 읽힐 수 있는 실전 경제학서였다.

『자본론』의 중반을 넘어가면서 나는 전율했다. 이제야 내가 뭘 알게 되는구나! 내가 사는 세상이 이런 곳이었구나! 그동안 내게 『자본론』을 읽으라고 권해주었던 사람들의 얼굴이 드라마틱하게 스쳐 지나갔다. 십 대 후반부터 마흔셋이던 그때까지 내게 그 책을 이야기한 사람들이 대략 스무 명 정도 되었는데, 권유의 말을 들을 때마다 속으로 생각했더랬다. '그런 거 안 읽어도 다 알거든? 한마디로 자본주의가 나쁘다는 거잖아. 나도 다 안다고!' 그렇게 생각했던 나는 얼마나 바보였던가! 그 책을 추천했던 사람들은 이 세상의 정체를 나보다 훨씬 빨리 알아챘다는 말이 아닌가! 씁쓸하기도 고맙기도 그립기도 하면서, 모골이 송연해졌다. 자고로 자만을 일삼는 자는 가만히 있으면 입에 들어왔을 떡도 놓치는 법이다.

세상을 다 안 듯한 행복감과 지적인 만족감에 충만해 있던 어느 날, 나는 예상치 못했던 복병과 마주치게 되었다. 4개월짜리 『자본론』 코스의 마지막 달, 같이 공부하는 사람들과 가열한 토론을 펼쳤던 날이었다. 우리는 『자본론』 중 가장 긴 챕터인 「기계와 대공업」을 읽고 현대의 '대공장'에 해당하는 '회사'에 대한 성토를 벌였다. 각자 체험한 회사 이야기, 현대사회에서 다국적기업이 가진 권력과 그들이 자행하는 다양한 횡포, 책임 관계가 명확하지 않은 주식회사 체제에 대한 비판이 주 내용이었고, 회사가 얼마나 비정하고 비인간적인 곳인지에 대한 성토가 봇물을 이루었다. 그런데 한창 토론에 열중하던 중, 내 마음에서 날카로운 외침이 일었다. 정아은. 너 회사가 그렇게 싫었어? 끔찍했어? 아니잖아!

입으로는 회사 다닐 때 얼마나 힘들었는지 토로했지만, 마음속으로는 그게 아닌데, 아닌데, 하다가 어느 순간 발언을 중단했다. 한참 동안 침묵을 지키다가 다시 토론에 끼어들었다. "생각해보니 저는 회사가 그리 싫지만은 않았던 것 같아요." 그때까지 펼쳐지던 논조와 완전히 반대되는 말을 내놓자 토론장이 찬물을 끼얹은 듯 조용해졌다. "말하다 보니 마음속으로 제가 회사에 다녔던 시절을 그리워하고 있더라고요. 저는 왜 그런 걸까요?" 머리를 맞대고 회사 시스템 비판에 열을 올리던 이들이 뜬금없다는 듯 나를 쳐다보았고, 그 얼굴들을 멀뚱멀뚱 바라보면서 나는 고개를 갸우뚱했다. 그리고 깨달았다. 지금까지 내가 열심히 지껄였던 말들이 실은 '진짜 내 생각'이 아니었다는 사실을. 마르크스가 그렇다고 하고, 사람들이 그렇다고 말하니 나도 그런 줄 알고 열심히 입을 놀렸지만, 내 생각은 그게 아니었다는 사실을. 그 깨달음과 함께 자본주의에 대해 다 안 것처럼 들떠 있던 마음의 축제는 막을 내렸다. 축제가 끝나고 썰렁해진 자리를 차지한 것은 커다란 물음표였다. 나는 왜 회사를 그리워하는가? 나는 왜 다른 사람들처럼 자본주의를 증오할 수 없는가? 왜 마음 한편으로 슬그머니 자본주의가 좋다는 생각을 하는가?

나는 왜 회사를 그리워하는가

게오르크 지멜, 『돈의 철학』

마르크스의 『자본론』이 자본주의라는 체제의 개념과 작동 원리를 기술한 책이라면 게오르크 지멜의 『돈의 철학』은 '돈'의 발생 내력과 역사, 인류에게 미친 영향을 추적한 책이다. 전자가 돈에 권력을 부여해준 체제의 정체를 밝히는 데 치중했다면, 후자는 돈이라는 물건 자체의 '효과'에 치중했다. 한글본으로 천 페이지가 넘어가는 이 방대한 책, 『돈의 철학』을 『자본론』을 읽기 전후로 한 번씩 읽었는데, 『자본론』을 읽은 뒤 두 번째 독서를 했을 때에야 책 내용을 확실히 이해할 수 있었다. 그만큼 『자본론』이 어려웠다는 소리이고, 『자본론』과의 연계 독서를 통해 『돈의 철학』이 더 풍부하게 읽혔다는 소리도 되겠다. 역시 '개념'보다는

'효과'를 다룬 책이 쉽다. 무엇보다 수·과학 영역이 포함되지 않는다는 사실이 진입 장벽을 낮춰주는 데 크게 공헌했다.

『돈의 철학』은 거대한 벽화 같은 책이다. 돈이라는 물건이 인류 생활을 어떻게 바꾸어놓았는지를 시간별·공간별·상황별로 촘촘하게 추적해 그려나간다. 작은 장면 하나를 뜯어보아도 세밀하게 기술되어 있어 삼삼한 재미를 주고, 그런 세밀화들이 모여 만들어내는 커다란 벽화도 웅장한 감흥을 준다. 거기에 서술 방식이 형식에 구애받지 않는 에세이 형식이라 읽기가 편하다.

나는 이 책을 따라가면서 '돈'이라는 작고 가벼운 종이 한 장을 타고 세상을 종횡무진으로 여행하는 느낌을 받았다. 크기도 부피도 무게도 보잘것없는 이 물건, 돈은 무색무취하고 감정이 없다. 오직 앞길만 보고 죽죽 나아간다. 어떠한 목표도 가치관도 없다. 그저 돌진하면서 힘을 발휘할 뿐. 오직 힘의 발휘, 자신의 실현만이 존재 의미라는 듯. 그런데 그 힘을 발휘하는 방식이 놀랍다. 아무런 기미나 전조도 보여주지 않고, 자신이 하는 일이 불러올 결과를 알려주지도 않는다. 이 물건의 힘에 제압된 사람들은 자신이 압도되었다는 사실을 모른다. 자신의 일부분이 깨어져 나갔고 영원히 원상 복구되지 않으리라는 사실을 모른다. 소리 소문 없이 제압당한 뒤 그 힘을 추종하고, 주위 사람들에게 그 힘을 전파한다. 만나는 즉시 추종자가 되는 것이다.

돈이 가진 힘 중 가장 무시무시한 점은 기존에 존재하던 모든 것을 부수어버리는 파괴력이다. 신분·관습·관계·감정처럼 인간이 원래 지녔거나 후천적으로 만들어 보유했던 모든 것들을 조용히, 철저하게 파괴한다. 파괴하는 대상의 성격, 그러니까 그것이 바람직하냐 아니냐는 아무런 상관이 없다. 사람 위에 사람을 놓고 사람 밑에 사람을 놓았던 신분제도도 무너뜨리고, 사람들이 마을 단위로 어우러져 의식주를 나누었던 훈훈한 공동체도 와해한다. 대대손손 땅과 농작물과 인생을 공유해왔던 친지들과의 관계도 깨뜨리고, 내 것만 챙기다 보면 마음 한편에 슬그머니 솟아오르기 마련이었던 미안함이나 겸연쩍음의 감정도 부서뜨린다. 만나는 일체를 파괴하는 이 물건이 지나간 자리에는 모든 것이 산산이 분해된 채 최소 단위만 남는다. '원자화'되는 것이다. 인간이 의식주를 공유하는 단위가 수십 명 단위의 마을에서 열 명 남짓의 대가족으로, 다시 4인 내지 5인의 핵가족으로, 그리고 근래에 들어서는 핵가족마저 쪼개지고 1인 가구로 남는 현상 또한 상당 부분은 이 물건의 행진에서 유래했다.

이 작고 가차 없는 물건이 지나간 자리에 남겨진 원자들은 새로운 규칙 아래 재결합한다. '이윤'이라는 단순하기 그지없는 규칙 아래. 내 먹거리, 내 입을 것, 내 몸 누일 곳을 확보할 사람은 이 넓은 세상에서 오직 나 혼자뿐이라는 사실을 인식한 개인들은 나의 이익, 그러니까 내 몸과 정신을 이롭게 만들어줄 재화를 찾아 발버둥 친다. 사람과 사람 간의 결합은 오직 이윤에 의해서만 이루어지며, 이윤의 발생 기간이 지나가면 결합되었던 관계는 즉각 해소된다. 구름처럼 많은 세상 사람 중 그 누구와도 '영원'을 논할 사이가 되지 못하는 '쿨'한 상태에 놓이는 것이다.

이 책을 두 번 읽은 뒤에 비로소 알았다. 내가 회사를 싫어할 수만은 없었던 이유, 은근히 속으로 회사를 그리워했던 이유를. 그것은 나의 성별과 관련되어 있었다. 여성이라는 나의 정체성과.

만나는 모든 대상을 무차별하게 파괴하는 돈의 거침없는 행보 과정에서 인류의 많은 습속이 깨어져 나갔다. 돈이 아니었으면 무엇으로 그 단단한 장벽을 깰 수 있었을까 싶었던 영역, 신분이라는 인류의 오랜 유산도 돈에 의해 무너졌다. 그것은 분명 돈이 가진 파괴성의 좋은 결과였고, 돈이 신분을 깨부수었던 역사는 인류가 두고두고 추억할 명장면으로 남을 것이다. 그러나 '나'라는 개인에게, 대한민국에 사는 결혼한 여자 사람이며 아이 둘의 엄마라는 한시도 잊을 수 없는 정체성을 진 나라는 사람에게는 그보다 더 중요하게 영향력을 발휘하는 사실이 있었으니, 바로 돈이 여성에 대한 고정관념을 깨뜨렸다는 사실이었다.

그때까지, 나는 여성을 현재의 모습으로 만든 것은 여성운동이라고 생각했다. 남성을 기쁘게 하기 위한 대상으로만 존재하던 여성을 남성과 동등한 권리를 갖고 살 수 있게 만들어준 건 선대 여성들과 그들을 지지해준 남성들의 희생적인 노력 덕분이라고. 그런데 『돈의 철학』을 읽으면서 알았다. 여성을 지금의 여성 위치에 데려다 놓은 또 다른 공헌자가 있었다는 것을. 돈이라는 놀라운 요물이 여성을 내리누르던 수많은 제도와 관습을 일거에 무너뜨렸다는 사실을.

물론 돈이 여성을 해방시켜주겠다는 원대한 야심을 품지는 않았을 것이다. 돈에게는 아무 생각이 없었다. 그저 여성을 남성과 동등한 인간으로 취급하지 않는 관습이 자신이 나아가는 앞길에 걸리적거리니 귀찮아서 단칼에 해치워버렸을 뿐. 여성도 능력이 있으면 돈을 벌어 자본주의 체제를 살찌우는 데 마땅히 공헌해야 하거늘, 어찌 신체 구조가 좀 다르다는 이유로 집에서 남자의 보조 역할만 하게 하는 것인가? 짐이 심히 못마땅하다. 당장 그 성별 역할 놀이를 멈추어라! 이렇게 명령을 내린 것이다. 그리고 돈이라는 전능한 조물주의 일갈에, 여성의 앞길이 열렸다. 물론 지금도 많은 분야에서 예속적 측면이 남아 있긴 하지만 여성이 사회에 진출할 가능성은 과거와 비교할 수 없이 높아졌다. 돈을 잘 번다면 혹은 돈을 많이 가졌다면, 그러니까 돈과 친하기만 하면 여성은 성별의 굴레에서 벗어날 수 있는 것이다. 물론 여기에 함정이 있다. '돈과 친하기만 하면'이라는 전제에. 그러나 나를 내리친 것은 돈이 했던 역할, 즉 몇천 년 동안 공고하게 이어져 내려온 남성 우월주의라는 관습을 단숨에 깨뜨려버린 그 힘, 그 막강한 동력에 대한 깨달음이었다. 자본주의 발전이라는 동력이 없었다면 과연 여성운동만으로 여성이 지금의 지위에 올 수 있었을까. 여성운동이 큰 역할을 한 건 사실이지만 자본주의라는 '모든 것을 파괴하는 괴력'도 역사가 성차별이라는 오랜 악습을 일소하는 데 커다란 역할을 했으리라.

이쯤에서 돈이 여성인 내 삶에 어떻게 영향을 미쳤는지 구체적으로 살펴보자. 나는 회사에 다니는 것을 대체로 좋아하는 편이었는데, 특히 결혼한 뒤에 회사라는 존재를 무척 좋아하게 되었다. 한국에서 여성이 결혼한다는 것은 수많은 종류의 기상천외한 가사를 품에 (울며 겨자 먹기로) 껴안게 된다는 의미이다. 남편과 아이들의 의식주를 보살피는 일뿐 아니라 남편 쪽 확대가족의 대소사 방면으로도 팔을 넓게 벌려야 한다. 수많은 대한의 딸들 중 한 명인 내게도 결혼 후 온갖 가사들이 기다렸다는 듯 우르르 떨어져 내렸고, 그 일들과 결투를 벌이면서 (때로는 받아들이고, 때로는 교묘히 피해가고, 때로는 정면으로 하지 않겠다고 맞서면서) 나는 알게 되었다. '회사'라는 존재가 내게 얼마나 유용한지. 남자 쪽 혈통을 기리고 모시고 받드는 '제사'에 엄청난 의미를 부여하고 그 행사를 중심으로 관혼상제와 명절 문화가 대대적으로 이루어지는 나라에서, 제사상에 올라갈 음식을 주관하고 뒤치다꺼리하는 일을 그 혈통과 피 한 방울 섞이지 않은 '여성 배우자'가 해야 한다는 믿음이 대대적으로 퍼진 문화에서, 여성 배우자는 제사에 가지 않아도 좋다고 허용받을 수 있는 핑곗거리로 무엇을 댈 수 있을까? 한 가지, 들이대면 곧바로 수긍하게 되는 전무후무한 핑곗거리가 있으니, 그것은 바로 '출근해야 한다'는 말이다. 다른 어떠한 핑계도 모두 무엄하고 결코 용서받을 수 없는 파렴치함으로 치부되지만 오직 한 가지, '회사에 가야 한다'는 말은 전가의 보도처럼 작동한다. 그 말이 발화되는 순간 모두들 고개를 끄덕이며 납득하는 것이다. 그럼 할 수 없지. 돈을 벌러 가야 한다는데!

나로서는 도대체 왜 내가 맡아야 하는지 백 번 천 번 생각해도 알 수 없는 수많은 가사들을 한 방에 면제해주는 고마운 존재, '회사'님을 어찌 좋아하지 않을 수 있었겠는가? 결혼을 하고 아이 엄마가 된 뒤, 나는 회사를 '사랑하며' 다녔다. 회사에 가면 사람들이 내 이름을 불러주었고, 일을 성공적으로 해낼 때엔 능력 있다고 칭찬해주었으며, 다양한 화젯거리를 가지고 다가와 내 관심사의 저변을 넓혀주었다. 또한 내가 하겠다 동의한 적 없는 수많은 가사 노동들을 '도리'라며 뜬금없이 안겨주는 일도 하지 않았다. 『자본론』 토론 때 내가 그립게 회상했던 회사는 바로 이런 회사였다. 결혼한 뒤에 새롭게 인식하고 사랑했던 회사. 그 토론을 하기 전까지 나는 몰랐다. 내가 결혼한 뒤에 왜 그렇게 출근하는 걸 좋아했는지. 왜 회사에만 가면 그렇게 해방감을 느꼈는지. 물론 회사에도 부당한 요구를 해대는 상사와 동료가 있었지만, 가족이라는 테두리 내에서 만나는 이들과 비교하면 모두 귀여워 보일 뿐이었다. 앙탈을 부리는 걸로 보였다고 할까. 덤벼라 부장! 덤벼라 진상 거래처! 까짓것 널찍한 내 품에 모두 품어 토닥여주지!

생각해보니 그게 모두 '돈'의 자장이었다. 돈을 버는 나에게는 가부장제가 발휘하는 막강한 힘에 맞설 강력한 자장이 형성되어 있었고, 그 자장의 핵심에는 내가 밖에서 '돈'을 벌어 집 안으로 가지고 온다는 단순하고 명확한 사실, 가족들을 먹고 입고 살게 하는 재화를 획득해 온다는 사실이 자리해 있었다. 의식화하지 못했을 뿐 나는 이를 본능적으로 감지했고, 그 때문에 회사에 다니는 일상을 그토록 소중하게 느꼈다. 그러니까 자본주의가 가부장제의 대항마로 작동했던 그 몇 년의 기간 동안 나는 생생하게 체험했던 것이다. 여성에 대한 낡은 관습을 가차 없이 깨고 나아가는 돈의 힘찬 몸짓을. 그 생생한 맥박을.

나는 왜 뉴스에 나오지 않는가

카트리네 마르살, 『잠깐 애덤 스미스 씨, 저녁은 누가 차려줬어요?』

오랫동안 구전돼오는 전설이 있다. 인간은 본디 이기적 동물이며, 이기적 욕망에 충실하기만 하면 그 욕망의 결과물들이 모여 사회적으로 가장 효율적인 상태를 만들어낸다는 농담 같은 이야기. "우리가 저녁을 먹을 수 있는 것은 푸줏간 주인, 양조장 주인, 혹은 빵집 주인의 자비심 덕분이 아니라 자신의 이익을 추구하려는 그들의 욕구 때문이다"이라는 말로 대표되는 이 전설은 애덤 스미스가 『국부론』에 쓴 한 구절에서 유래했다. 경제학보다는 윤리학에 정통했던 학자 애덤 스미스는 그 구절을 자기만을 위해 살라는 의미로 썼던 건 아니었다. 그러나 후대 자유주의 경제학자들은 이 구절을 인간의 경제적 욕망이 다른 욕망에 최

우선해야 한다는 주장의 디딤돌로 삼았고, 이후로 애덤 스미스는 약자에 대한 배려가 조금도 없는 정글 자본주의의 시조처럼 여겨졌다.

근대국가 형성기에 등장한 경제학은 자본주의의 발전과 함께 철학·역사·문학을 제치고 학문들 중 가장 비중 있는 분과로 자리 잡았다. 지구상 국가들이 국민총생산을 높이는 데 총력을 기울임에 따라, 권위 있는 경제학자들의 주장은 가장 광범위하고 충성심 어린 청중을 확보했다. 언론은 경제학자들의 말을 인용한 경제 동향 기사를 분 단위로 쏟아냈으며, 대중들은 자신의 투자 상품의 미래가 장밋빛인지 예측하기 위해 주가 전망과 회사별 당기순이익 발표에 촉각을 곤두세웠다. 자본의 시대를 맞아 경제학의 권위가 급상승한 것이다.

경제학 내부에는 많은 학파가 존재하며 각기 다른 주장들을 쏟아내지만 모든 학파들이 공통적으로 깔고 가는 전제가 있다. 바로 '인간은 상황을 이성적으로 조목조목 짚어 파악한 뒤 자신에게 가장 이익이 되는 방향으로 합리적인 결정을 내리게 된다'는 가정이다. '경제적 인간'이라 불리는 이 유형의 인간은 어떤 상황에서도 이성을 잃지 않는다. 감정에 휘둘리지 않고, 손해가 될 일을 하지 않으며, 언제나 앞뒤가 맞아떨어지는 언행을 한다. 시장은 이런 인간들의 집합으로 이루어져 있기 때문에 우리는 이런 인간을 '표준'으로 삼고 사회구조와 경제체제를 세워야한다.

그렇다면 경제학에서 기본 인간상으로 가정하는 이 경제적 인간의 감정은 어떻게 되는가? 언제나 이성적 판단에만 의존한다는 이 인간의 마음은, 기뻐하고 슬퍼하고 사랑하고 낙심하는 마음은 어디로 가는가? 애초에 이 인간에게는 그런 마음이 존재하지 않는가? 스웨덴 작가 카트리네 마르살의 『잠깐 애덤 스미스 씨, 저녁은 누가 차려줬어요?』는 이러한 의문에서 출발한다. 인간이 자신의 경제적 이익을 실현하기 위해 살아가는 존재라면 그의 나머지 욕망들은 어떻게 되는가? 인간이 경제적 이익 실현에 온 존재를 바쳐 살아간다는 주류 경제학의 전제는 타당한가? 실제로 우리 인간들은 그렇게 살아가고 있는가?

작가는 경제적 인간이라는 개념을 낳는 데 지대한 공을 했던 애덤 스미스의 논리를 우선 조명한다. 푸줏간 주인과 양조장 주인, 빵집 주인의 이기심 덕에 우리가 저녁을 먹을 수 있는 것이라는 논리를. 작가에 따르면 애덤 스미스는 우리가 저녁을 먹을 수 있도록 만든 다양한 경제적 요인을 따지는 과정에서 중요한 역할을 하는 한 요소를 빼먹었다. 저녁 밥상에 올릴 재료를 수

합하여 다듬고, 소스를 넣고, 그릇에 담아 식탁을 차려낸 한 인물, 애덤 스미스의 '어머니'라는 존재를. 그 인물이 없었다면 푸줏간 주인과 양조장 주인과 빵집 주인이 아무리 자기 이기심에 충실했어도 애덤 스미스는 저녁을 먹지 못했을 것이다. 그리고 어머니의 그 손길은 저녁 식탁이 무사히 차려지는 데 일조한 수많은 손길들 중 가장 복합적이고 가장 많은 시간을 들여야 하는 일을 맡아 해냈다.

우리가 경제학이라 부르는 학문은 돈으로 환산되는 요인만 정식 구성 요소로 인정한다. 새벽 네 시에 일어나 우물에서 물을 길어다 가족 구성원 열두 명의 아침을 지어 먹이는 저개발 국가 십 대 소녀의 노동은 국민총생산의 일부로 매김되지 않는다. 소녀는 온종일 일해 가족의 의식주를 책임지지만, 돈으로 환산되지 않기 때문에 소녀의 노동은 공식적인 '일'로 인정받지 못한다. 우리 사회에서도 이런 일은 매일 일어난다. 주부들은 새벽부터 일어나 식구들에게 아침밥을 지어 먹이고, 식구들이 입고 나갈 옷을 세탁하고, 집 안 곳곳을 청소하지만, 그들의 노동은 '일'로 인정받지 못한다. 주부가 자기 아이를 키우면 '집에서 노는' 여성이 되고 옆집 아이를 키워주고 돈을 받으면 (혹은 어린이집 교사로 일하면) '일하는' 여성이 되어 국민총생산을 높이는 공신이 된다.

돈으로 환산되지 않는 노동을 '일'로 인정하지 않기에 경제학에서 상정하는 '경제적 인간'에는 전업주부로 사는 여성이 포함되지 않는다. 경제적 인간은 자신에게 이익이 되지 않는다면 손가락 하나도 까딱하지 않아야 하는데, 돈 한 푼 받지 않으면서 타인의 의식주를 보살피는 사람을 어떻게 경제적 인간이라고 할 수 있겠는가. 경제적 인간은 처음부터 전체 인간이 아닌 일부 인간 또는 하나의 성별, 즉 '남성'을 모델로 한 개념이었다. 그리고 여성은, 각자의 이익을 위해 주먹을 불끈 쥐고 덤벼드는 경제적 인간들 사이에서 분투한 끝에 가족들의 먹거리를 획득해 돌아온 남성이 편안히 쉴 수 있도록 따뜻하고 아늑한 공간을 제공하는 역할로 상정되었다. 경제적 인간인 남성에게는 없다고 여겨지는 사랑·배려·돌봄·헌신을 제공하는 '감정적 인간'으로. 처음부터 한쪽 성은 이익만을 추구하는 차가운 성정으로, 다른 한쪽 성은 감정만을 추구하는 따뜻한 성정으로 못 박아놓았던 것이다.

카트리네 마르살은 이를 이렇게 표현한다.

경제학은 '사랑을 아끼고자' 했다. 이를 위해 사랑은 모든 것에서 배제되었다. 그리하여 배려, 공감, 돌봄 등의 덕목들은 경제적 분석에서 밀려났다. 어떤 행동은 돈을 위해서만 존재하고, 어떤 행동은 배려를 위해서만 존재했다. 그리고 이 두 가지는 절대 만나선 안 되었다. 이에 못지않게 중요한 사실은 똑같은 현상이 대칭처럼 반대편에서도 일어났다는 점이다. 사려 깊음, 공감, 돌봄 등에 관한 논의에서 돈과 부에 관한 이야기가 빠진 것이다. 어쩌면 이야말로 현재 여성의 경제적 지위가 남성에 비해 훨씬 열등한 이유를 가장 잘 설명해줄지도 모른다.[6]

우리는 누군가의 엄마인 여성이 아이를 돌보는 일보다 자신의 일을 우선순위에 놓으면 '이기적'이라고 손가락질한다. 또한 자신이 행한 가사의 대가를 바라면 '가족을 위한 일인데 대가를 바라다니!' 하고 비난의 시선을 보낸다. 반대로 남성이 자기 일을 우선순위에 놓거나 자신이 한 일의 대가를 바라면 지극히 자연스러운 일로 여기고 화제로 삼지도 않는다. 처음부터 여성을 '배려하는 성'으로 단정 짓고 돈이나 자기 이익을 챙기지 않을 거라고 가정하기 때문에, 남성을 '계산하는 성'으로 단정 짓고 돈과 자기 이익에 충실할 거라 가정하기 때문에 생기는 현상이다.

경제학은 기본값을 철저히 '남성'으로 상정하는 학문이다. 뉴스에 나오는 주가 동향, 경제 전망, 국민총생산 같은 공식적인 수치에 여성이 가정에서 행하는 노동이 배제되는 것은 이 때문이다. 공식적인 영역에 여성이 하는 일이 포함되지 않기 때문에 여성의 노동이 보이지 않게 되며, 그 노동의 수행자인 여성은 '집에서 논다'는 말을 듣게 된다.

이 책은 인류의 절반인 여성이 행하는 노동을 통째로 배제해왔던 경제학에 통렬한 비판을 가한다. 경제학에서 말하는 '인류'란 누구를 지칭하는가? 경제적 인간이라는 말 속의 '인간'은 누구를 이르는가? 지구의 반을 차지하는 성별을 배제한 채 이루어지는 통계 조사·연구·분석이 진정 '인류'의 삶을 대변할 수 있는가? 우리가 '경제학'이라고 생각해왔던 학문은 사실 '남성 경제학'이 아니었는가?

세계적으로 빈곤층의 절대 다수는 여성이 차지하고 있다. 여성이 하는 일은 대부분 저임금을 받는 일이며, 남성과 같은 일을 하더라도 남성보다 적은 월급을 받는다. 과거에도 그랬고, 지금도 그러하며, 앞으로도 그럴 것이다. 이를 바로잡기 위해 가장 먼저 해야 할 일은 여성의 무보수 노동을 경제모델에 포함하는 것이다. '일'을 '일'이라 명명해야 다음 수순으로 넘어갈 수 있지 않겠는가. 보이지 않는 것을 보이게 만들어야 다음 과정으로 나아갈 수 있지 않겠는가.

애덤 스미스가 저녁을 차려준 어머니의 노동을 경제적 요인에 포함했다면 그 후 경제학의 역사는 크게 바뀌었을 것이다. 생산 비용의 산정 방법이 달라지고, 그에 따라 국민총생산 산정 기준도 변했을 것이다. 애덤 스미스가 잊어버렸던 요인이 어머니의 손뿐이었겠는가. 푸줏간 주인의 저녁 식탁을 차렸던 손, 밀을 생산한 농부의 저녁 식탁을 차렸던 손, 고기를 운반한 짐꾼의 저녁 식탁을 차렸던 손 등 수많은 손들이 애덤 스미스식 경제모델에서 흔적도 없이 사라졌다. 마치 고기가 날아와 스스로 프라이팬에 들어가 지글지글 익고 소스 통이 날아와 그 위에 날렵하게 뿌려졌기라도 한 양. 경제학에서 생략된 수많은 손길, 그것은 '여성'으로 불리는 인류 전체의 손길이며, 이 손길이 경제학에 포함되는 것은 어마어마한 정치적·경제적·문화적 변동을 동반할 것이다.

이 책을 읽으며 그동안 막연히 느껴왔던 감정의 연원을 알게 되었다. 누군가가 가사 노동자인 내게 "집에서 논다며?"라는 말을 던지는 행위는 그 말을 한 개인의 분별력이나 예의 부족에서 기인한 게 아니었다. 그것은 그보다 훨씬 큰 단위, 이를테면 사회라든가 국가라든가 하는, 시간적으로 보면 역사라든가 전통이라든가 하는 광범위한 단위에서 원인을 찾아야 하는 일이었다. 그런 생각에 이르자 다소 마음이 편해졌지만, 한편으로는 몸서리쳐졌다. 내가 기본값으로 생각했던 것이 실은 기본값이 아니었단 말이지. 내가 속한다 생각했던 곳에서 나는 철저히 배제되어 있었다는 말이지. 그렇다면 도대체 무엇을 보고, 무엇을 듣고, 무엇을 믿고 따라가야 한단 말인가?

아이 셋을 길러낸 전업주부는 왜 연금을 받지 못하는가

낸시 폴브레, 『보이지 않는 가슴』

지인 둘이 논쟁을 벌이는 걸 지켜본 적이 있다. 한 명은 아이 셋을 키우는 아빠였고, 다른 한 명은 아이가 없는 기혼 남성이었다. 연초라 소득공제에 관한 얘기가 오가던 와중에 아이 셋의 아빠가 투덜거리듯 말했다. 연봉의 거의 전부가 아이들 키우는 데 들어갔는데 정부에서 해주는 게 겨우 부양가족 세금 공제밖에 없다고. 북유럽 국가들이 아이 기르는 데 얼마나 많은 원조를 해주는지 전문용어까지 써가며 열심히 피력하자 아이 없는 기혼 남성이 일침을 놓았다. "우리처럼 아이 없는 사람들이 뼈 빠지게 번 돈이 너희 아이들에게 얼마나 많이 돌아가는지 아냐. 우리들이 번 돈을 세금으로 걷어서 너희 자식들 보육비, 교육비

심지어 요즘엔 밥값까지 다 대잖아. 솔직히 우리처럼 아이 없는 사람들은 이런 식으로 걷어가는 '비부모 세금'에 대해 혁명을 일으켜야 한다고 생각한다." 그러자 아이 셋의 아빠가 눈에 불을 켜고 자신의 아이들이 미래에 낼 국민연금에 관해 언급했고, 모임은 순식간에 불타는 토론장으로 변했다.

당시 둘의 토론이 어떻게 결론이 내려졌는지 정확히는 기억나지 않는다. 국민연금과 세금이라는, 부모와 비부모가 각자 억울해하는 분야에 대한 되풀이되는 언쟁 끝에 좌중 누군가가 어물쩍 화제를 돌리는 것으로 애매하게 끝났던 듯싶다. 하지만 당시 불꽃 튀기는 설전과 둘 사이에 오가던 은근한 적대감은 내 안에 고스란히 남아 의문으로 맺혔다. 둘의 말 모두가 말이 되는 것 같은데 음, 대체 누가 더 억울한 걸까?

이 의문은 한참이 흐른 뒤 『보이지 않는 가슴』이라는 책을 읽으면서 상당 부분 해소되었다. 그때 내가 품었던 물음을 저자인 낸시 폴브레는 이렇게 표현한다. "아이는 공공재일까, 사적소유물일까?" 그러니까 아이라는 존재가 성장하여 성인이 되었을 때 지니게 되는 능력과 인품이 사회에 널리 퍼져 효과를 낼까, 아니면 그를 키워낸 가족 내에서만 영향력을 발휘할까 하는 물음이다.

낸시 폴브레에 의하면 아이는 공공재이다. 아이가 일단 이 세상에 태어나면 그들의 계발된 능력과 자질로부터 사회 구성원 모두가 이득을 보기 때문이다. 역으로 아이가 제대로 된 돌봄과 교육을 받지 못하면 그것은 사회에 커다란 해악을 초래하는 결과로 이어질 것이다. 그렇기 때문에 사회는 부모의 노력을 인정하고 보상해야 하며, 부모가 제 역할을 하지 못할 경우에는 대신 부모 역할을 하여 아이를 좋은 영향력을 발휘하는 공공재로 키워내야 한다. 앞서 기술한 일화에서 나의 지인들이 간과했던 것은 이 부분이었다. 부모인 지인과 부모가 아닌 지인 모두 아이를 부모의 사적 소유물로만 생각했던 것이다. 그런 관점을 벗어나 아이가 성인이 되었을 때 사회에 미치는 영향력을 조금 더 넓은 범위에서 조망했다면 논쟁에 대한 답을 찾기가 한결 수월했을 터이다.

저자인 낸시 폴브레는 미국 매사추세츠 대학 경제학과 교수이다. 그는 자신을 '인간이 서로를 돌보는 데 들이는 시간과 노력에 대해 연구하는 경제학자'라고 소개한다. 한마디로 '돌봄 경제학자'라고 할 수 있겠다. 그는 '보이지 않는 손'으로 대변되는 현대 경제학이 인간에게 내재한 자신의 이익을 추구하는 이기적 욕망만을 조명하고, 그 욕망의 결과물만을 수치화하고 연구하는 현실을 비판한다. 한 인간이 노력해서 성공적으로 이윤을 추구하기 위해서는 그 인간의 배고픔, 추위, 외로움, 슬픔을 감싸 안아주고 토닥여줄 '가슴'이 필연적으로 동반되는데 경제학은 그 부분을 전혀 연구 대상으로 삼지 않는다는 것이다. 결과적으로 인간을 키워내기 위해 수많은 돌봄 노동을 해내는 '가슴'은 보이지 않는 투명인간이 되고, 경제적으로 불리한 위치에 처하게 된다. 금전이 최고 가치로 군림하는 자본주의사회에서 이기적 욕망에 충실한 이들이 경제적 보상과 사회적 명예를 누리는 동안, 남을 돌보는 이타적 가치에 충실한 이들은 최소한의 금전적 보상조차 받지 못하는 약자가 되어버리는 역설이 발생하는 것이다.

저자는 이를 직장 생활을 한 비혼 남성과 아이 셋을 길러낸 전업주부 여성의 예를 통해 설명한다. 아이 없이 돈을 벌었던 비혼 남성은 은퇴 후 죽을 때까지 두둑한 연금을 받게 된다. 그때 그가 받는 연금은 전업주부가 길러낸 아이들이 일해서 번 소득에서 떼어내 이전한 결과물이다. 하지만 그 아이들을 먹이고 입히고 교육해 사회의 일꾼으로 길러낸 전업주부는 비혼 남성과 같은 연령이 되었을 때 아무런 사회보장을 받지 못한다. 남편에게 돌아가는 연금을 같이 쓰지만, 자신이 그 연금의 공식적인 수

령자가 아니기 때문에 남편에게 연금을 나누어 쓰겠다는 의지가 없거나 이혼하거나 사별할 경우 온전히 그 연금을 수령할 수 없다. 타인의 선의나 법적 범위 안에 들기를 희망하며 일부 금액만을 수령하거나, 전혀 받지 못하게 되는 것이다.

이는 전통적으로 경제학이 돈으로 환산되지 않는 비시장 노동을 가치 있는 비용으로 인정하지 않았기 때문이다. 매일 저녁 뉴스에 발표되는 국민총생산, 주가지수, 실업률 같은 경제지수들에 먹이고, 입히고, 숙제를 봐주고, 어린이와 노인을 보살피는 돌봄 노동은 포함되지 않는다. 그것은 공식적인 경제 밖에 있는 외부의 어떤 것으로 취급된다. 측정 대상에 포함되지 않는 것은 돌봄 노동만이 아니다. 기업의 이윤을 높이기 위해 희생되는 자연환경으로 인한 문제점과 폐해도 통계 수치상에 조금도 기재되지 않는다.

아주 오래된 삼나무가 캘리포니아 원시 우림에서 잘려 나갈 때는 생산된 통나무가 팔린 액수만큼 GDP가 증가한다. 나무 자체에 체화되어 있는 자연 자원이나 생태학적으로 나무들에 의존하고 있던 식물과 동물 종들의 가치의 손실은 전혀 감안하지 않는다. '생산되지 않은' 것들로 간주된다. 우리는

어머니 자연을 우리 자신의 어머니처럼 당연시한다.[7]

이 부분을 읽는데 그동안 숱하게 들어왔던 말들이 바람처럼 뇌리를 스쳐갔다. 어머니 자연, 무조건적으로 아이를 품어 안는 어머니의 사랑, 짐승에게도 있는 본성인 절절한 모성, 아이를 위해 모든 것을 희생하려는 마음은 신이 여자에게 부여한 최고의 품성⋯⋯. 도대체 내게서는 찾아보기 힘든, 또한 내 주변 수많은 동료 엄마들에게서도 찾아보기 힘든 완벽하고 이상적인 모성이 어째서 '본성'이라 불리는지, 어째서 여성이 아이보다 자기 일을 우선시하는 건 '이기적'이라 여겨지고 반대 경우는 '자연스러운' 일로 여겨지는지 그제야 알 것 같았다. 자본주의 체제에서 처음부터 구성 요소로 포함되지 않았다는 측면에서, 마음대로 공짜로 가져다 쓰되 그 가치는 인정해주지 않았다는 측면에서, 여성의 돌봄 노동과 자연 자원은 쌍생아처럼 닮아 있었고, 그 때문에 여성의 모성, 여성의 관대함에는 당연하다는 듯 '자연스러움'이라는 개념이 따라왔던 것이다.

내게 이 책은 카트리네 마르살의 『잠깐 애덤 스미스 씨, 저녁은 누가 차려줬어요?』와 한 세트처럼 여겨졌다. 두 책은 모두 그동안 경제학에서 아예 없는 것으로 취급되었던 여성의 가사 노동을 전면적으로 의제로 내세우고 있다. 하지만 전자가 남성으로 대표되는 '경제적 인간'의 존재 불가능성에 방점을 두고 전통 경제학에 신랄한 비판을 던졌다면, 『보이지 않는 가슴』은 경제학에 포함되지 않은 여성과 자연 자원 같은 다양한 존재들이 경제학에서 소외된 연유를 학문적으로 차근차근 파고든다. 기자 출신인 카트리네 마르살이 현대자본주의가 굴러가는 방식과 언론 및 학계의 터무니없는 대응을 신랄하게 조롱하고 위트 있게 비수를 날린다면, 낸시 폴브레는 돌봄 노동이 제대로 보상받지 못함으로써 일어나는 현대사회의 문제들을 수치와 과학적인 방법론을 동원해 조목조목 따지고, 그에 대한 대안을 제시한다. 돈을 벌어 재산을 늘리겠다는 이기적 욕심 대신 타인을 돌보는 이타적 가슴을 선택한 사람들에게 보상은커녕 그들을 자신의 의식주조차 조달할 수 없는 취약한 입장에 처하게 내버려둔 결과 어린이와 노약자에 대한 돌봄이 얼마나 큰 공백 상태에 빠졌는지 진단하고, 돌봄이라는 분야가 국가적 차원에서 새롭게 조직되어야 함을 역설한다.

이 책의 저자에게 고마웠던 점은 그동안 두 아이의 엄마로 하루 대부분을 돌봄 노동에 바치며 살아온 자로서 오랜 세월 동안 품어왔던 수많은 의문, 다양한 망설임에 실마리를 제공해주었다는 것이다. 나는 늘 생각했더랬다. 쳇바퀴처럼 매일 반복되는 집안일을 언제까지 수행해야 하는가? 하루라도 빨리 여기에서 벗어나 나를 위한 뭔가를 해야 하는 것이 아닐까? 이런 생각은 하루도 빠짐없이 찾아왔고, 그런 생각을 한 끝에는 정해진 수순처럼 죄책감이 따라붙었다. 무엇이 더 중요한가? 가족이라는 울타리를 지키기 위해 아등바등하는 나는 정아은이라는 한 인간의 인생이라는 측면에서 보면 과연 최선의 길을 가고 있는 중인가? 이는 돌봄 노동을 당연히 여성의 몫인 양 여겨왔던 과거가 지나가고, 새로운 시대가 오는 길목에서 일생을 보내게 된 내게는 운명처럼 내정된 의문이었다. 바야흐로 돌봄 노동이 새롭게 조직되고 배분되어야 하는 때인 것. 시대정신의 큰 흐름이 바뀌었으나 국가와 사회제도는 여전히 돌봄을 여성의 몫으로만 남겨두니, 나 같은 개인이 아무리 머리를 굴리고 가슴을 앓아도 뾰족한 수가 나오지 않은 건 당연했다. 돌봄의 전담자였던 여성의 자리가 비기 시작했는데 그 자리를 채워야 할 남성과 사회는 들어오지 않고 있으니, 그 상태를 나 몰라라 하면 아이들이 얼마나 광활한 진공상태에 빠지겠는가? 엄마인 여성이 하루에도 열두 번씩 가슴을 앓으며 자신의 인생과 아이의 인생을 놓고 한숨을 들이쉬고 내쉬는 상황은 모두 이런 시대 변화에서 비롯되는 비극이다. 이러니 사회에 관심을 갖지 않을 수 없는 것이구나. 이러니 제도와 정치에 대해 손길을 뻗고 목소리를 내야 하는 것이로구나. 아무것도 하지 않고 가만히 앉아 새 시대가 저절로 도래하기만을 기다리다가는 내 눈에 흙이 들어오고 말 테니.

굉장히 영양가 있는 책이었다. 돌봄 경제학이라는 새로운 학문의 가능성을 연 이 저명한 경제학자는 냉철하게 논지를 펼쳐나가면서도 유머와 인간을 향한 따뜻한 온기를 잃지 않는다. 새로운 논제를 꺼낼 때마다 그와 관련된 자신의 처지를 공개하는 (아버지의 직업과 재산 상태는 물론 자신이 타인에게 물려받은 유산액까지 세세하게 밝힌다) 저자의 엄격한 자세 덕분에 그의 주장이 팔자 좋은 교수가 늘어놓는 비현실적인 이야기로 들리지 않는다. 비판적이면서도 낙관적인 관점을 놓지 않아, 인류가 돌봄 노동을 가시화하고 돌봄 책임을 민주화함으로써 어떻게 역사를 바꿔나갈 수 있는지도 설득력 있게 보여준다.

경제학이라는 학문은 어쩌면 그렇게도 남성 중심적인가! 인간이 일구어온 모든 제도, 학문, 관습이 전부 '인간'을 '남성'으로 상정한 상태로 이룩되었다는 사실은 익히 알고 있었다. 그러나 다른 분야에서는 그래도 여성의 모습이 어떤 형태로든 얼씬거리기라도 하지 않았던가? 그런데 경제학은 너무나 완벽하게 여성이라는 존재를, 여성이 행하는 노동을 무시해버렸다. 자연이라는 외부 요인은 '원료'라는 하나의 변수로라도 처리되지만 여성은 변수로도 취급되지 않는다. 돌봄 노동은 그저 언제나 공급되는, 공급하는 주체와 공급의 수혜자 간 관계나 갈등에 상관없이 24시간 무조건 제공되는 당연한 그 무엇일 뿐이다.

가끔 이런 생각을 한다. 여성이 나이를 먹는다는 것은 세상의 모든 것이 '남성'을 기본값으로 상정하고 있음을 깨달아가는 과정이 아닐까 하는. 인간의 역사라고 배워온 것이 실은 남성의 역사였고, 인간의 습속이라고 배워온 것이 실은 남성의 습속이었다는 사실을 체감하는 순간의 연속이 아닐까 하는. 그 사실을 아프게 체감하면서 여성인 나의 시선으로 세상을 하나하나 재정의하는 것이 여성이 맞는 나이 듦의 본질이 아닐까 하는. 여성은 나이 들수록 혁명적으로 변할 수밖에 없다는 말도 이런 맥락에서 나온 것이리라.

『보이지 않는 가슴』을 읽는 것은 이런 통과의례를 거치면서 예정된 울분이 솟아오르는 과정이었다. 동시에 그에 대한 대안이 희미하게나마 가시화하는 광경을 보며 기쁨을 느끼는 과정이기도 했다. 미국의 한 뛰어난 지성이 그동안 경제학이라고 불렸던 분야의 정체를 또렷하게 조명해 보여주고, 제대로 된 경제학이 종내 어떤 모습이어야 함을 드러내주었다는 사실에 커다란 위안을 받는 과정. 그리고 그 과정 끝에 어떤 희망, 어떤 염원을 품을 수 있었다. 이 책은 경제학이라는 효용성 높은 학문을, 그동안 그 학문이 외면했던 분과에 정면으로 투입해 학문의 틀 자체를 바꾸어버린다. 주로 윤리나 가치 측면에서 비추어졌던 '여성'이라는 분과가 인간의 물질적 삶과 욕망이라는 관점에서 조명되었다는 사실이 너무나 반갑고 든든하다. 성능 좋은 무기를 선물 받은 느낌이랄까. 그동안 반쪽짜리 역할만 했던 경제학이 저자와 같은 이들의 노력에 힘입어 인류의 반인 여성의 시선을 반영하는 온전한 학문으로 자리 잡길 간절히 기원한다.

3장

자본주의

사회에서

여성으로

산다는 것

누가, 왜, 여성들을 불태웠는가

실비아 페데리치, 『캘리번과 마녀』

다시 태어난다면 남자로 태어나고 싶다고 생각했던 적이 있다. 학교를 졸업하고 사회에 나왔던 때부터 두 아이의 엄마로 자리 매김하던 때까지, '왜 하필 여자로 태어났을까' 하는 푸념을 자주 했다. 선택할 수 있다면 이제라도 남자로 살고 싶다는 생각도 했다. 여자로 사는 게 어쩌면 더 흥미로운 선택지일지도 모르겠다는 생각이 든 것은 마흔 고개를 넘어갈 때였다. 『잠깐 애덤 스미스 씨, 저녁은 누가 차려줬어요?』나 『보이지 않는 가슴』과 같은 책을 통해 일종의 개안 비슷한 걸 하면서, '이런 것도 재미있구나!'라는 생각이 들었던 것이다. 이때까지 내가 속한 세상이라고 생각했던 곳에 실상 나는 속해 있지 않았다는 깨달음. 나는 그 세상이 아닌 다른 어딘가에 속해 있으며, 아직 형태가 또렷하지 않은 그 다른 세상은 내가 손으로 더듬어 주물럭거려야만 모습을 드러내리라는 깨달음. 그것은 서글프면서도 뇌 한구석이 쾌감으로 저릿해지는 경험이었다.

실비아 페데리치의 『캘리번과 마녀』는 여성학과 경제학 분야에서 심심찮게 언급되었던 책으로, 읽어야 한다는 의무감에 거의 반강제로 집어 들었던 책이다. 이 책을 통해 나는 지금과 같은 세상, 그러니까 남자는 밖에서 일을 하고 여자는 집에서 살림과 육아를 맡는 식의 성별 분업이 절대적인 진리인 양 당연시되는 시대 이전에 존재했던 시대를 잠깐 살다 올 수 있었다. 신에게 모든 것을 의탁했던 중세 사회에서 인간이 모든 것을 할 수 있다고 믿는 근대로 넘어오던 시기, 삶을 이어가기 위해 필요한 모든 것을 돈을 주고 사야만 하는 '자본주의' 체제가 막 발아하던 시기에 발을 담갔다 온 것이다. 잘 쓰인 책을 통해 내가 살아보지 않았던 시대를 일시적으로 살다 오는 것은 언제나 흥미로운 경험이지만, 이 책은 이때까지 인류 역사에서 소소하고 가벼운 에피소드 정도로 취급되었던 하나의 사건을 완전히 새로운 각도에서 조명했다는 점에서 감흥이 남달랐다.

『캘리번과 마녀』는 르네상스풍 고전적 그림의 표지로 눈길을 끌었다. 책을 손에 쥐었을 때, 정자체로 쓰인 제목 중 한 단어에 시선이 가 머물렀다. 마녀라. 나는 고개를 갸웃거렸다. 마녀가 뭐지? 내가 아는 마녀의 이미지를 떠올려보았다. 빗자루를 타고 다니고, 신체 건장한 남자들을 순식간에 조막만 한 두꺼비로 만들고, 누군가에게 저주를 걸어 비명횡사하게 만들고…… 또 뭐가 있지? 음침하고 드라마틱한 느낌이 나는 여러 이미지들과 함께 화염에 휩싸여 몸을 비트는 여성의 모습이 떠올랐다. 화형대에 묶여 신음하는 여성의 고통스러운 얼굴이. 그래! 마녀사냥이 있었지! 중학교 때 역사 교과서에서 봤던 글귀가 생각났다. 중세 어느 시기에 사람들이 일군의 여성들을 마녀로 몰아 화형에 처했다는. 그 글귀를 읽어준 뒤 역사 선생님은 중세의 엄격하고 종교적인 분위기를 간단하게 언급하고 지나갔다. 1분 정도 될까 싶은 찰나였지만 그때 들었던 마녀사냥 이야기는 강렬하게 남았고, 내 머릿속에서 중세는 황량하고 야만적인 이미지로 남았다. 멀쩡한 여자들을 마녀로 몰아 불태워 죽였다니! 그 시절 그곳에서 태어났으면 나도 그런 일을 당했을 수 있다는 말 아닌가!

역사 교과서에 나온 한 문장으로 만난 뒤에도, 마녀의 이미지와 제법 자주 마주쳤다. 가장 많이 접했던 때는 내가 누군가의 엄마로 불리게 된 직후였다. 주로 아이들에게 책을 읽어주면서 마주쳤는데, 마녀들은 『마녀 위니』처럼 아예 시리즈 형태로 출현하거나 『우리 집엔 마녀가 산다』, 『마녀 할머니의 선물』 같은 단행본의 주인공으로 등장해 나와 아이들에게 신비감과 흥미를 선사했다. 지금 생각해보니 문득 궁금해진다. 그토록 자주 접했던 '마녀'라는 존재. 그 존재는 실재했을까? 강력한 효능을 가진 약을 제조해내고 마법으로 세상을 바꾸는 여성이 진짜 있었을까? 고개를 갸우뚱해보지만, 아무리 생각해도 그런 사람이 있었을 것 같지는 않다. 그렇다면 '남자 마녀'는 어떨까. 마법사라 불렸을 이들. 그들은 실제로 존재했을까? 문득 내가 마법사에 대해 가진 이미지가 많지 않다는 데 생각이 미친다. 가만, 마법사와 마녀는 다른 존재인가? 같은 존재를 성별로 나누어 마법사, 마녀 이렇게 부르는 건가? 마녀라는 말에 '여성'임을 의미하는 글자가 확실히 박혀 있다는 사실이 갑자기 인식에 잡혀 온다. 보편성을 띠는 명사들이 대부분 남성을 기본값으로 하고 여성일 경우엔 '여의사', '여교사', '여대생'처럼 특별히 '여' 자가 붙지 않나? 그런데 '마녀'는 왜 여성형이 기본값처럼 보편적으로 통용되었을까? 그리고 마법사와 마녀는 왜 같은 범주의 개념으로 느껴지지 않을까. 중세에 화형당했다는 마녀는 많은데 왜 화형당했다는 마법사는 없을까?

이런 의문은 역사서이기도 하고 경제학서이기도 하고 인류학서이기도 한 이 책, 『캘리번과 마녀』를 펼치고 한 장 한 장 페이지를 넘기면서 조금씩 해소되었다. 유독 여성형 명사가 보통명사처럼 통용되었던 이유, 사람들의 머릿속에 마법사보다 마녀이미지가 더 많은 면적을 차지하게 된 이유를, 저자는 '자본주의의 발현'에서 찾는다. 자본주의의 발현을 여성의 지위 하락과 연결해 설명하면서 저자는 마르크스와 푸코라는 저명한 남성 석학의 이론을 준거점으로 삼는다.

마르크스는 '자본주의의 출현 과정에서 인간이 어떻게 억압당했는가'라는 문제를 다룬 사상가이다. 마르크스 사후에도 그의 이론을 지지하는 수많은 사상가들이 그의 문제의식을 이어받아 인간 억압의 문제를 다루었다. 인간은 어떻게 다른 인간을 억압하는가. 억압하는 자는 누구이고 억압당하는 자는 누구인가. 인류 역사에서 인간의 인간에 대한 억압은 왜 사라지지 않는가. 억압을 없애고 모두 다 함께 평등하고 자유롭게 살 방법은 없는가. 그러나 마르크스와 그의 후예들의 연구에는 인류를 구성하는 중대한 구성 요소가 빠져 있었다. 인류의 반을 차지하는 성별이며 인류가 존속하도록 생명을 창출하는 데 치명적인 역할을 담당하는 성별인 '여성'이. 실비아 페데리치는 자본주의의 출현 과정에 관한 기존 연구에서 빠진 고리인 '여성'을 중심축으로 놓고 자본주의를 다시 사유한다. 자본주의의 여명기를 약자에 대한 억압이라는 시선으로 보되, 그 시선에 여성이라는 중요한 약자를 포함하는 것이다. 기존 자본주의 서사에서 빠졌던 여성이라는 존재를 가시화하여 불완전했던 서사의 빈 곳을 채우고, 일그러졌던 형상을 바로잡는다.

이야기는 마녀사냥과 페스트라는 으스스한 소재로 시작한다. 인류사에서 죽음의 상징으로만 그려졌던 중세의 대표적 장면들이 약자와 여성이라는 프리즘을 통과하자 완전히 새로운 형상으로 재정립된다. 흑사병의 유행이 불평등과 착취의 근원이었던 신분제가 무너져 내리는 "유럽 프롤레타리아의 황금시대"를 불러오고, 종교적 징벌로만 여겨졌던 마녀사냥이 "새로운 체제 확립을 위해 권력자와 국가가 벌였던 대규모 학살"로 그려지는 것이다.

마녀사냥은 두 세기에 걸쳐 수만 명의 여성을 희생시킨 거대한 학살극이었다. 그럼에도 마녀사냥의 원인과 규모, 그로 인한 결과에 대해서는 제대로 규명된 적이 없었다. 학계에서는 마녀사냥을 종교적 광기가 낳은 참극 정도로 간단하게 언급하고 넘어갔기에 마녀사냥은 하나의 설화, 전설, 신비한 분위기를 띤 이야깃거리로 남았다. 마녀사냥의 희생자가 남자였다면 어땠을까. 아마도 지금쯤 수백 권에 달하는 연구서가 나왔을 것이다. 그리고 종교전쟁이나 나치의 유대인 학살 못지않은 거대 참극으로 인류 역사에 굵직하게 새겨져 두고두고 되새김질되었으리라. 그렇다면 희생자 대부분이 여자였던, 그렇기에 인류 역사의 중요한 사건으로 취급받지 못했던 마녀사냥은 대체 왜 일어났을까? 어떤 이들이, 어떤 목적을 위해, 산 사람을 통째로 불태워버리는 잔인한 짓을 주기적으로 벌였을까?

저자는 그 이유를 봉건주의에서 자본주의 체제로 넘어가는 시대 배경에서 찾는다. 가장 중요한 변화는 기존 봉건 체제에서 집단으로 공유해왔던 토지와 자원이 사유화되기 시작했다는 점이었다. 여러 사람이 공유하던 땅에 울타리를 치고 아무도 들어오지 못하게 막는 '인클로저'가 대대적으로 진행되면서, 하층민은 먹거리를 재배해 자신과 가족들을 생존하게 해주었던 자그마한 땅에서 쫓겨났고, 그 과정에서 사회적 동요가 일어났다. 어제까지만 해도 이웃과 함께 작물을 재배했던 땅에 갑자기 선을 긋고 이제부터 이 땅은 사적 소유지이니 앞으로는 사용하지 말라고 했을 때 사람들이 어떻게 반응했겠는가. 경작지가 없어지면 당장 굶어 죽을 판이니 눈에 불을 켜고 자신을 '땅의 소유주'

라고 선언한 사람에게 달려갔을 것이다. 땅을 개개인의 사적 소유로 만들어 국부를 키우는 데 혈안이 되어 있던 지배층과 국가는 분노에 차서 몰려오는 사람들을 달래야 했는데, 이 과정에서 눈에 들어온 것이 '여성'이라는 존재였다.

이 새로운 성적 사회계약에 따라 프롤레타리아트 여성은 인클로저 때문에 남성 노동자가 상실한 토지의 대체물이자 가장 기초적인 재생산 수단이 되었으며, 또 누구나 뜻대로 전유하고 이용할 수 있는 공유재가 되었다. 스스로 매춘에 나선 창녀를 지칭하는 16세기의 "공유 여성" 개념에서 이 "시초 축적"의 메아리를 들을 수 있다. 그러나 새로운 노동 편성에서는 부르주아 남성이 사유화한 여성만이 아닌 모든 여성이 공유재산으로 변했다. 일단 여성의 활동이 비노동으로 정의되자 여성의 노동은 마치 공기처럼 누구나 마음껏 쓸 수 있는 천연자원으로 보이기 시작했기 때문이다.[8]

현대인인 우리가 당연시하는 '일'의 개념, 그러니까 회사에 소속되어 노동력을 제공하고 그 대가로 화폐를 받는다는 개념은 태곳적부터 있었던 개념이 아니다. 자본주의 체제가 정착된

123

이후에 생겨난 새로운 개념이다. 인클로저가 일어나고 그에 분노한 남성들을 달래기 위해 여성을 남성의 종속물처럼 만들어준 저 마녀사냥 시기에는, 아직 돈으로 환산받는 일만을 '일'이라고 생각하는 개념이 확고하게 자리 잡지 않은 상태였다. 사람들은 모두 집에서 농사를 짓거나 길드 같은 직업별 조합에서 물건을 만들었다. 밭에서 경작해 거둔 농작물로 가족들의 배를 채운 뒤 농작물이 남으면 시장에 가져가 팔았다. 집에서 만든 옷으로 가족들을 입힌 뒤 남은 여분의 옷이 있으면 이웃의 다른 품목과 교환했다. 자급자족적으로 살되 잉여생산물이 남으면 교환이나 판매를 하는 삶, 즉 집안일과 바깥에서 하는 일의 구분이 딱히 서 있지 않은 삶을 살았다는 말이다. 가족들은 집 안팎에서 농사일을 비롯한 여러 가지 일을 함께했으며, 성별에 따라 하는 일이 또렷하게 나뉘지 않았다. 그런데 어느 날 갑자기 가족이 함께 일구어 생계를 기대던 땅에 임자가 생기고, 가족의 먹을거리를 마련하기 위해서는 가족 구성원 중 누군가가 땅의 주인 혹은 공장의 주인 밑으로 들어가 노동력을 팔아야 하는 상황에 처한다. 그런 상황에 처한 이들은 굶어 죽지 않기 위해 울며 겨자 먹기로 저임금으로 고되게 일하는 생활을 택한다. 당시는 '노동'이라든가 '노동자'라는 개념이 없었고, '노동자의 권리' 같은 개념도 없었다. 새벽부터 밤늦게까지 창문도 없는 공장에서 열두 시간 씩 일하고 한 끼 밥값도 안 되는 임금을 받기가 예사였다. 공장 밖에는 생활 근거지였던 땅을 잃고 그런 임금이라도 받고 일하 겠다는 사람들이 줄 서 있었으니, 노임을 제대로 쳐주었다면 그 게 더 이상한 일이었으리라.

마르크스는 이런 상황을 '시초 축적'이라 명명했다. 공유지 로 쓰이던 토지를 지주 혹은 권력자 혹은 자본가가 차지하고 그 토지에 생계를 기대왔던 이들을 가축 떼처럼 몰아내 '노동자'가 되게 만든 뒤 그 노동자들을 공짜에 가까운 임금으로 부려 막 대한 부를 축적하는 과정을 '원초적 축적 과정'이라 개념 지은 것이다. 그러나 마르크스가 고안해낸 이 개념에는 중요한 한 요 소가 빠져 있다. 강제로 노동자가 된 이들의 노동력을 유지하고, 미래에 노동자가 될 아이들을 낳고, 그들을 튼실한 노동자로 길 러내 자본가의 품으로 보내주는 일군의 사람들이. 재생산자라 고 불릴 이 사람들은 바로 '여성'이다.

실비아 페데리치는 마르크스가 놓치고 넘어간 이 지점, 재생 산자 개념을 파고든다. 자본가가 토지와 값싼 노동력을 통해 막 대한 시초 축적을 이루었다면, 노동력을 제공하고 형편없이 낮 은 임금을 받아갔던 노동자는 가정에서 무상으로 의식주 서비스를 제공하는 아내를 통해 집단적으로 시초 축적을 이루었다. 자본가가 누린 이득에 비하면 얼마 안 되는 것처럼 보이지만 모든 서비스가 무상이었다는 점을 고려하면 남성 노동자 입장에서는 굉장한 혜택을 누린 셈이다. 그러나 궁극의 혜택을 누린 이는 자본가였다. 노동자를 활용한 후 가정으로 돌려보내기만 하면 잘 먹이고 잘 입혀 전날과 같은 건강한 육신과 맑은 정신 상태로 만들어 이튿날 다시 보내주는 노동자의 아내를 통해 노동력 재생산을 무상으로 제공받는 사람. 그러므로 자본가는 노동자 한 명을 고용함으로써 (1) 값싼 노동력과 (2) 노동력 재생산의 무상 제공이라는 원 플러스 원 혜택을 누리는 셈이었다.

마르크스의 시초 축적이 자본가가 노동자를 통해 부를 쌓았다는 개념이라면 페데리치의 시초 축적은 남성이 여성을 착취해 권리를 쌓았다는 개념이다. 그리고 이 같은 남성의 시초 축적을 통해 자본가와 국가는 하류층 남성 노동자들이 현실에 품은 불만을 누그러뜨릴 수 있었다. 여성이라는 식민지를 다스릴 수 있게 해줌으로써. 그런데 이 식민지를 안정적으로 유지하기 위해서는 여성이 가정이라는 영토 바깥으로 나가지 못하도록 막아야 했는데, 그 과정은 쉽게 이루어지지 않았다. 생각해보라. 얼마 전까지만 해도 농사일, 삯바느질, 마을 환자 치료 등 공동체 차원에서 일하며 능력을 발휘했던 여성들이 갑자기 집 안에 틀어박혀 가족들의 뒤치다꺼리에만 전념하라는 메시지를 받으면 이를 순순히 받아들이겠는가? 여성들은 이런 움직임이 일어나던 초창기, 인클로저가 막 발아하던 시점부터 저항했다. 공유지에 울타리를 치는 행위에 맞서 집단 시위를 벌였고, 누구든 들어가 열매를 주울 수 있던 숲이 사유지로 변하고 입장이 금지됐을 때 목숨을 걸고 들어가 먹거리를 채집했다. 아이들을 먹이고 길러야 하는 여성들은 물불 가리지 않고 생계 수단을 지켜야 했던 것이다. 세상에 존재하는 모든 만물에 소유자를 지정하고, 모든 물건에 가격을 매겨 숨 쉬고 먹고 자기만 해도 누군가 이익을 보는 체계를 만드는 데 혈안이 되어 있던 이들, 즉 자본가들에게는 그런 여성들보다 더 눈에 거슬리는 존재가 없었으리라. 그들에게는 소리치고, 선동하고, 자기 권리를 잃지 않으려 안간힘을 쓰는 여성들을 다스려 잠재울 한 방이 필요했다. 그렇다고 무작정 탄압할 수는 없었을 터, 적절한 명분을 둘러쓴 그럴싸한 방안이 필요했으니, 그것이 바로 마녀사냥이었다. 신의 이름을 팔면 모든 것을 할 수 있는 시대 분위기를 등에 업고 멀쩡한 여성들을 마녀로 몰아 죽음으로 끌고 갔던 것이다.

이는 당대 마녀사냥에 희생당했던 이들이 대부분 아이를

받아주던 산파, 약초로 이웃을 치료해주던 아낙, 지주의 횡포에 저항하는 시위 조직에 능한 여성이었다는 점을 보아도 극명하게 드러난다. 집에 머물면서 한 명의 남성 노동자의 식욕·성욕·안정 욕구를 충족해주는 순종적인 여성 이외의 모든 여성은 언제든 마녀로 몰릴 수 있었다. 집 안이 아닌 바깥에서 일하려 하거나 지정된 한 명의 남성 노동자 곧 남편이 아닌 다른 남자와 성관계를 맺는 여자는 악마와 거래하는 여자였다. 아픈 여성이나 원치 않은 임신을 한 여성의 임신 중지를 도와주는 여성은 신성모독을 범한 악마의 내연녀였다. 미래의 저임금노동자의 생산을 막는 행위로 간주되었으므로. 그리고 악마와 관계를 맺었다고 가정된 여성들은 모두 화형대로 보내졌다. 마녀사냥은 이렇듯 공포 분위기를 조성해 여성들을 집 안에 감금하는 대대적인 조치였다.

여성을 집 안에 머무는 가사 전담자로 만든 결과 여성들은 약초와 치유법에 대한 경험적 지식의 유산을 박탈당했고, 이로 인해 새로운 형태의 인클로저가 나타나게 되었다. 현대적 관점으로 보면 의술이라고 할 행위, 즉 아픈 사람을 치료해 낫게 하는 일은 당시에 누구든 경험과 연륜이 있으면 행할 수 있는 일이었다. 의학적 기술과 지식이 지위 고하나 성별에 상관없이 널리

펴져 있었던 셈이다. 당시 이런 일을 행하던 이는 주로 마을의 나이 지긋한 여성들이었다. 오랜 세월 동안 인체와 약초, 출산에 관한 지식을 쌓아온 노파가 환자를 치료하고, 아이를 받고, 여성의 피임과 임신중지를 도왔다. 마녀사냥으로 그런 노파들이 화형대의 이슬로 사라진 뒤, 그들이 하던 일은 이제 '전문가'라 불리는 사람들에게 돌아갔다. 일정한 자격 요건을 갖춘 남성이 '의사'라는 이름으로 마을의 나이 지긋한 여성 어른이 차지하던 자리를 점령했고, 이는 오늘날까지 이어지는 전문 의료인의 기원이 되었다.

여성의 몸에 손을 대는 성형외과·외과·산부인과 의사들의 태반이 남성인 오늘날을 사는 나, 잠깐 동안 눈을 감고 상상해본다. 아이를 가진 내가 같은 마을에 사는 이웃 할머니에게 찾아가는 장면을. 할머니의 손길에 몸을 맡기고, 친숙하고 다정한 할머니의 음성을 들으며 출산에서 오는 두려움과 고통을 달래는 장면을. 내 몸에 손을 얹은 여성 어른에게서 흘러나오는 경험담을 들으며 조상 여성들의 경험과 지혜에 몸을 담그고 불안을 가라앉히는 순간을.

마녀사냥으로 인해 여성들의 일자리와 생계 수단이 박탈당하고 공동체에서의 위상이 처참하게 무너지는 것을 보면서 떠오르는 장면이 있었다. 같은 민족이 서로를 증오하고 총부리를 겨누었던 1950년의 전쟁 이후 일었던 '빨갱이 사냥' 장면. 전쟁 이후 한반도 남쪽을 다스렸던 권력자들은 정치적 정적이 생기면 '공산주의 사상에 물든 불순분자'를 '국가와 민족의 안녕을 위한다'는 명목으로 일거에 제거해버리지 않았던가. 비슷한 예시는 나라 밖에서도 얼마든지 찾을 수 있다. 냉전 시대 미국에 불었던 매카시 열풍, 나치의 유대인 학살 등 인류사에서 있었던 수많은 사건들이 욕심에 눈먼 인간이 얼마나 잔인해질 수 있는지 보여준다. 결국 마녀사냥도 기득권 세력이 지배권을 유지하기 위해 만들어낸 이미지, 수탈과 착취를 정당화하기 위해 동원한 희대의 비극이었던 것이다.

쓸쓸한 것은 '마녀'니 '악마'니 하는 말을 붙여 수만 명의 여성들을 학살했던 시대가 인류 역사에서 '계몽의 시대'라 불렸던 때라는 점이다. 과학적 객관성과 이성, 합리를 부르짖으며 무지몽매한 미신에서 벗어날 것을 주장했던 유명 남성 석학들이, '악마와 내통했다'느니 '사술을 걸어 이웃집 남성을 사지 마비로 만들었다'는 죄목을 나열한 문서와 학술 자료를 배포해 여성들을 화형대로 보냈다.

더 쓸쓸한 것은 이런 마녀사냥이 지나간 과거의 일만이 아니라는 점이다. 현대에도 전례 없는 빈곤의 확산이 일어난 곳이나 자원을 둘러싼 강력한 투쟁이 발생한 곳에서는 여성의 지위가 급격하게 하락하면서 대규모로 몰살당하는 일이 어김없이 벌어진다. "1980년대와 1990년대 IMF와 세계은행의 구조조정 정책이 시행되면서 케냐, 나이지리아, 카메룬에서도 마녀사냥이 보고되었다. 국제금융 기구의 구조조정 정책으로 인해 새로운 형태의 인클로저가 나타나면서" 사회불안을 누군가의 탓으로 돌리고 희생시킴으로써 체제 안정을 이룰 필요가 있었던 것이다.

그러나 우리는 지구상 어디에선가 우리처럼 숨 쉬고 말하고 생각하는 사람들이 마녀로 몰려 살해당하고 있다는 사실을 모르고 살아간다. 유럽과 미국 등 선진국에서 일어나는 일들 외에는 거의 다루지 않는 언론의 지형 때문이다. 이로 인해 우리는 마녀사냥이 아주 오래전의 일이며 우리와는 전혀 상관없다고 믿으며 생활한다.

책의 말미에 나오는 작가의 전언을 들어보자.

하지만 만일 과거의 교훈을 현재에 적용시켜보면 1980년대와 1990년대 세계 곳곳에서 마녀사냥이 재등장했던 것은 "시초 축적" 과정의 분명한 증표임을 깨닫게 될 것이다. 이는 토지와 다른 공유 자원의 사유화, 빈곤의 만연, 약탈, 한때 끈끈했던 공동체에 분열의 씨뿌리기 같은 것들이 다시 세계적인 의제로 상정되는 것을 의미한다.[9]

마녀사냥은 현재 진행형이다. 멀리 갈 것도 없이 우리 주변을 보자. 글자 그대로 사람을 마녀로 몰아 죽이는 일은 일어나지 않지만 마녀사냥으로 대변되는 여성의 희생자화 습속은 우리 사회 구석구석에서 끈질기게 일어나고 있다. 우리 주위에 범람하는 언어를 보자. 된장녀, 지하철녀, 개똥녀, 맘충, 김 여사…… 누군가를 탓하고 단죄하는 언어는 늘 여성형 명사를 동반하지 않는가. 사회적으로 지탄받는 일이 발생하면 잘못을 저지른 당사자보다 엄마나 아내, 교사에게 책임을 묻는 일이 비일비재하지 않은가. 또한 인생에서 가장 중요하다는 관혼상제의 순간에 불길하다는 이유로 여성이 열외가 되는 관례가 여전히 보편적으로 통용되는 걸 보면 마녀사냥의 불씨가 언제나 가까이에 잠복한 채 불타오를 기회를 노리고 있다 해도 과언이 아니리라.

구전되어온 전설을 따라 먼 길을 여행하다 온 듯한 독서 경험이었다. 내가 지금 겪는 크고 작은 일들의 근원을 파고들어 가

보면 과거 어느 시점에 지구상에 살았던 누군가와 촘촘하게 엮여 있다는 사실을 체감했고, 마르크스의 '생산' 개념에 재생산이 누락되어 있다는 개념이 의미하는 바를 확실히 알게 되었다. 집에서 살림과 육아를 하느라 바쁘게 몸을 놀려도 '집에서 논다'는 말을 듣게 되는 이유는 유럽이라는 머나먼 지역에 살았던 일군의 여성들의 운명과도 연결되어 있었다. 화형대에 묶였던 여성들과 나는 같은 지형의 다른 시간대에 놓여 있었던 것이다. 이윤 창출을 위해서는 인간이 느끼는 감정과 소망, 유대 의식, 공동체의 역사, 정의, 이타심 등 어떠한 요인도 가차 없이 제거해버리는 자본주의 체제라는 지형의 다른 시간대에.

이 책을 통해 얻은 또 하나의 소득은 남성의, 남성에 의한, 남성을 위해 정립된 남성 석학들의 이론과 학술적 성과물을 어떻게 소화해야 할지 알게 되었다는 점이다. 저자는 여성의 몸이 집단 전체로서 남성들에게 시초 축적 대상이 되었다는 주장을 펼치면서 푸코와 마르크스의 이론을 준거점으로 삼는다. 두 남성 석학의 이론을 출발점으로 삼으면서 그들이 보지 못한 지점에 돋보기를 들이대고 치밀하게 파헤친다. 마르크스와 푸코라는 거인에게 여성적 시선을 씌워 보완해주었다 해야 할까. 이는 영민했던 남성 석학들의 뛰어난 지적 유산을 탐험하면서도 간간이 나타나는 그들의 여성 혐오적 시선을 어떻게 받아들여야 할지 몰라 고민했던 내게 좋은 전범이 되어주었다. 쇼펜하우어, 니체, 프로이트 같은 남성 석학의 책들을 읽으면서 여성 혐오적 시선이 다분했던 그들의 유산을 받아들여도 될지 적잖이 고민했던 내게 이 책은 명쾌한 경로를 보여주었다. 그들의 유산 중 좋은 부분을 수용하고 그렇지 않은 부분을 비판하라. 거기서 더 나아가 네 고유의 방식으로 보완하라. 그렇게 함으로써 너도 인류의 지적 유산을 쌓아가는 고고한 여정에 동참할 수 있으리라. 저자가 이런 메시지를 뿜어내는 듯했다.

페데리치는 이 저작으로 중세에서 근대로 넘어가는 이행기 역사를 다시 직조해냈다. 기존 중세사에서 군데군데 비어 있던 부분을 채워 넣고, 일그러졌던 부분을 바로잡고, 희미하게 뭉뚱그려졌던 부분에 선명한 형체를 부여하고, 때로는 완전히 새로운 스케치를 해 넣는 작업을 통해 인류사의 거대한 벽화를 새로운 버전으로 완성해낸 것이다. 세밀하게, 때로는 과감하게 펜을 휘두르는 실비아 페데리치의 힘찬 손길을 따라가는 것은 가슴 깊은 곳에서 뭉클한 덩어리가 솟아오르는 뜨겁고 강렬한 경험이었다.

누가 누구에게 의지하는가

마리아 미즈, 『가부장제와 자본주의』

'회사원' 하면 떠오르는 이미지가 있다. 말끔한 슈트 차림에 날렵한 노트북을 들고 있는 사람의 이미지. 남성인 이 사람은 눈처럼 하얀 와이셔츠 차림의 다른 남성들과 함께 회의를 진행하고, 미팅과 미팅 사이 짧은 시간 동안 분주히 노트북 자판을 두드린다. 세련된 메탈 시계를 들여다보며 바쁘게 이동하는 그의 목에는 소속 회사 로고가 찍힌 사원용 출입증이 달랑거린다. 출장을 자주 가는 이 회사원은 국내에 있을 때는 삼성동이나 강남역에 출몰하고, 국외에 있을 때는 미국이나 유럽 같은 '선진국'에 출몰한다. 아, 하마터면 손에 들린 커피를 빼놓을 뻔했다. 세계적인 커피 전문점 로고가 박힌 투명 컵에서 찰랑거리는 진갈색 커피와 사각 얼음은 세련된 도시인, 능력 있는 남성의 실루엣을 완성해주는 마지막 터치로 기능한다.

이런 이미지와 대조를 이루는 것은 현실에서의 내 모습이다. 아이 둘의 엄마이자 시간 날 때마다 재택 파트타이머로 일하는 나는 대개 헐렁한 티셔츠에 입기 편한 실내복 바지를 걸치고 있다. 한 달에 두어 번 외출할 때를 제외하면 머리는 늘 부스스하며, 옷에는 끼니를 차릴 때 튄 각종 음식물 자국이 불청객처럼 묻어 있다. 불규칙적으로 입금되는 소액의 고료 외에는 내세울 만한 수입이 없고, 소속된 회사나 조직도 없다. 이 추레한 몰골의 여성은 길 가다 목이 마를 때면 자판기에 있는 음료수를 두어 번 흘끔거리다가 집에 돌아올 때까지 갈증을 참는다. 매달 들어오는 돈보다 나가는 돈이 크지 않도록 애쓰며 살아가다 자연스럽게 신체 내부에 장착하게 된 절약 강박관념 탓이다. 전기 요금을 줄이겠다는 생각에 설거지할 때 이따금 부엌 형광등을 끄는 장면이, 아마도 이 '주부'의 실루엣을 완성해주는 마지막 터치일 것이다.

둘의 이미지는 극과 극을 이룬다. 첫 번째 이미지 속 인물과 어울리는 형용사는 깔끔한, 시대에 맞는, 바쁜, 영민한, 능력 있는 정도가 되겠다. 두 번째 이미지 속 인물에 어울리는 형용사는 구질구질한, 소심한, 늘어진, 답답한 정도가 되겠다. 전자에게서는 상큼한 애프터 셰이브 향이 풍길 것 같고, 후자에게서는 퀴퀴한 김치 냄새가 풍길 것 같다.

이 이미지들은 늘 주위를 맴돈다. 혼자 있을 때 하는 상념에도 따라붙고, 친한 이들과 이야기를 할 때도 기본값으로 상정된다. 때론 자신을 그런 이미지로 떠올린다는 데서 답답함을 느끼기도 한다. 주부가 어때서? 주부가 없으면 누가 아이들을 건사하고 집안을 돌아가게 만든단 말인가? 애써 주부로서 나의 위치를 높여보려 노력하지만, 특정한 자리에 가면 자신을 '주부'라고 소개하지 않으려 애쓰는 나를 어김없이 발견한다. 인정하기 싫지만 주부라는 이미지에는 그런 게 섞여 있다. 스스로 비하하고, 피하고, 감추고 싶게 만드는 어떤 요소가.

그런 생각은 사회로부터도 온다. 사회는 어머니나 아내의 자리를 인정하고 높이 평가하는 듯한 제스처를 취하면서도, 주부라는 존재를 하시하고 있음을 감추지 못한다. 주부를 인정하고 존경하는 척하는 몸짓은 주로 물건을 팔려고 내보내는 상업광고에 등장하고, 하시하는 기색은 교과서적인 교훈이 들어가야 하는 경우(이를테면 선거 유세)를 제외한 거의 모든 상황에 묻어 있다. 사기도박단의 행적을 알리는 저녁 뉴스의 앵커 멘트에서

"심지어 가정주부도 도박단의 일행이었다고 합니다"라고 하거나, 명절 풍경을 비추는 화면에서 앞치마를 두르고 방긋방긋 웃는 주부의 모습을 내보내는 경우가 그 대표적 예일 것이다.

그렇다면 나는 왜 이런 이미지들을 갖고 있을까? 왜 세련되고 깔끔한 이미지는 슈트 차림의 남성으로, 구질구질하고 답답한 이미지는 앞치마를 두른 여성으로 생각하는 것일까? 왜 나는 전자의 모습으로 살고 싶다고 생각하면서도 현실에서는 후자의 모습으로 살아가고 있을까?

『가부장제와 자본주의』의 저자 마리아 미즈는 자본주의의 화려한 모습을 떠받치고 있는 3대 요소로 여성, 자연, 식민지를 꼽는다. 자본이 상품을 팔아 이익을 얻기 위해서는 노동자와 천연자원이 필요한데, 이 두 가지 요인을 만들어내는 하위 요인이 여성과 자연, 식민지라는 것이다. 여성은 남성 노동자를 먹이고 입히고 재워 '재생산'해주고, 자연은 상품을 만드는 데 필요한 자원을 공급해주며, 최근에는 저개발 국가라는 명칭으로 불리게 된 식민지는 값싼 노동력과 천연자원을 동시에 제공해준다. 선진국이 기피하는 공해산업을 끌어옴으로써 선진국의 자연을 보호해주는 역할까지 하고 있으니 식민지는 선진 자본주의 체제를 떠받치는 종합 선물 세트로 기능한다 해도 과언이 아닐 것이다.

우리는 흔히 성별 분업과 그에서 비롯된 권력관계가 전근대적 문화의 잔재이며, 그런 잔재를 일소하면 남녀가 평등하게 살 수 있으리라 생각한다. 그러나 저자는 성별 분업이 전근대 문화의 잔여물이 아니라 현대자본주의 체제를 구성하는 핵심 요소라고 말한다. 남성이 가족 임금을 벌어 오는 노동자 역할을 맡고 여성이 그런 남성 노동자를 무상으로 재생산하는 역할을 맡아야만 자본이 값싼 노동력으로 대량의 이윤 창출을 이루어낼 수 있다. 성별 분업이 무너지면 기업가는 무료로 제공받던 노동자의 재생산에 따로 비용을 들여야 한다. 그렇게 되면 이윤의 폭이 줄어들고, 더 이상 지금과 같은 이권을 누리지 못하게 된다.

성별 분업이 중요한 것은 생산적인 측면에서만이 아니다. 집에 남아 살림을 전담하는 주부는 생활을 유지하기 위해 기업에서 만들어내는 여러 생필품과 사치품을 사들인다. 쇼핑을 '담당하는' 성별이 정해져 있고, 현명하게 소비하는 일이 굉장한 가치를 지닌 일처럼 포장되어야 기업이 물건을 팔기 쉬워진다는 면에서, 여성이 집안일 담당자로 남는 것은 굉장히 중요하다. 여성은 남성 노동자를 무보수로 재생산해줌으로써 기업의 생산 비용 절감을 도와주고, 집에서 전문 살림꾼으로 기업이 만들어낸 상품의 소비자로 활약하면서 자본주의의 전천후 조력자로 기능한다. 이렇듯 성별 분업은 전근대의 잔재가 아니라 자본주의의 본질 그 자체이다. 이 때문에 가부장적 남녀 관계는 사람들의 선한 의지나 사고의 확장, 가치관의 재정립으로 타파할 수 없다. 저자는 이를 "의식, 이데올로기 혹은 문화 영역에서의 투쟁을 강조하는 것은 구조적 결함이나 결핍을 보지 못하게 하는" 결과로 이어질 수 있다고 하며 여성주의 운동이 이데올로기적으로 흐르는 현상을 경계한다.

저자의 이런 인식은 마르크스의 『자본론』에 대한 비판으로 이어진다. 마르크스가 자본주의를 노동자와 자본가라는 두 개의 요소로 구성되어 있다고 잘못 이해하는 바람에 마르크스 이후 모든 사상의 흐름이 이 양대 범주를 벗어나지 못했다는 것이다. 저자에 따르면 자본주의는 노동자와 자본가라는 양대 축으로 이루어진 것이 아니라 노동자와 자본가와 재생산자(여성, 자연, 식민지)라는 세 개의 축으로 이루어져 있다. 노동자와 자본가는 여성과 자연과 식민지라는 거대한 빙산의 맨 위 지점에 자리한 지극히 작은 부분일 뿐이며, 여성과 자연과 식민지라는 비자본적 재생산의 축들이 무너지면 노동자와 자본가도 더 이상 존속할 수 없다. 그러므로 노동자가 자신의 아내를 먹여 살린다는 개념은 틀렸다. 노동자가 아내를 부양하는 게 아니라, 아내가 노동자를 일하러 갈 수 있도록 부양해주는 것이다. 바꾸어 말하면 아내가 남편에게 의지하는 게 아니라 남편이 아내에게 의지한다는 말이다.

자본주의를 존속시키는 분업은 남녀 관계에서만 일어나는 것이 아니다. 같은 여성들 사이에서도 분업이 일어난다. 저자는 이를 전 지구적 차원에서 조명한다. 저개발 국가의 여성이 하루치 밥값도 안 되는 임금을 받으며 만들어낸 상품이 선진국 여성이 이용하는 마트에 값싼 소비재로 놓이는 풍경을 큰 그림으로 그려내는 것이다. 이 과정에서 '가정주부화'라는 개념이 동원되는데, 이는 사회적 차원에서 여성의 정체성을 '가정주부'라고 규정하고 매체를 통해 그 이미지를 퍼뜨리는 현상을 말한다. 여성을 가정주부이거나 앞으로 가정주부가 될 사람으로 가정하는 것은 자본가가 여성을 고용할 때 형편없이 낮은 임금을 주는 데 악용된다. 이 개념을 따라가는데 지난날의 나를 비롯한 여러 여성들의 모습이 떠올랐다. 결혼 전에 회사에서 보조적 일을 하면서 '아가씨'라 불리는 여성, 결혼하고 아이를 낳은 뒤 자의 반 타의 반으로 회사를 그만두는 여성, 아이를 어느 정도 키우고 다시 일하러 나갈 때 저임금노동에 종사하게 되는 중년 여성들……. 흔히 '여직원'이라 불리는 첫 번째 경우가 사내 또래 남성에 비해 낮은 임금을 받으며 보조적인 일에 머무는 것은 이 여성이 향후 결혼을 해 가정주부가 되면 그만둘 것이라는 가정이 내재해 있기 때문이다. 두 번째와 세 번째 경우의 여성은 돈을 벌어 오는 일을 담당하는 남편이 있는 '가정주부'라고 가정되기 때문에 '반찬 값' 또는 '애들 학원비' 정도의 임금만 받아가도 된다고 여겨진다. 모든 가정의 남편이 임금노동 종사자가 아니고, 여성이 '가장'인 경우가 허다한데도, 여성이 가정주부라서 돈을 많이 받아야 할 필요가 없다는 통념은 굳건하게 유지된다.

자본이 여성 노동력을 싼값에 부리는 데 전천후 근거가 되어주는 가정주부 이데올로기는 과개발 국가(저자는 선진국을 이렇게 부른다)와 저개발 국가에서 다른 양상으로 작동한다.

유럽과 미국의 많은 노동자가 식민지에서의 착취를 통해 '일하지 않는' 가정주부를 감당할 수 있었던 반면에, 제3세계 남성 다수는 가정주부가 '일하지 않고' 집에 머무를 수 있게 해줄 만한 지위를 절대 가질 수 없었다. 일하지 않는 주부들에게 소득을 올려준다는 전략은 제3세계 여성 대다수의 경험에 기초한 것이 아니라 여성에 대한 '이미지'에 기초한 발상이

다. 카리브 제도에서는 남성 부양자 가장이 없는 가구가 전체의 3분의 1 이상이다.[10]

저개발 국가 여성이 이렇게 헐값에 자신의 노동력을 팔도록 몰리는 동안 과개발 국가 여성은 집에서 가정주부로 머물면서 마트에 쌓인 산더미 같은 소비재들을 소비하는 데 시간을 쓰도록 권장받는다. 마트에 쌓인 색색의 공산품과 식재료를 보며 선택의 어려움을 느끼는 과개발 국가 주부들은 그것이 모두 자신이 속한 나라의 생산력 향상 때문이라고 생각하지만 실은 그것들 모두가 저개발 국가 여성 노동력을 착취한 결과이다. 이렇게 여성들은 지구 한쪽에서는 값싼 노동력으로 착취당하고 한쪽에서는 소비 전문가로서 역할을 하도록 강요당하지만 양극에 서 있는 여성들은 그 인과관계를 보지 못한다. 분업화되고 첨단화된 산업자본주의 내에서는 누구도 자신이 마트에서 집어 올린 상품이 어디에 있는 누구의 손으로 만들어졌는지 알지 못하기 때문이다.

사람들은 흔히 남녀평등이 많이 이루어졌고 이제는 여성도 살기 좋은 시대가 되었다고 말한다. 나도 그런 생각을 갖고 있었다. 그런데 이 부분을 읽으면서 '평등한 남녀'라고 말할 때의 '녀'

의 이미지가 대부분 서구 선진국의 여성에게서 왔다는 사실을 깨달았다. 미국 드라마 「섹스 앤 더 시티」 속 캐리 브래드쇼처럼 전문직을 갖고, 돈을 쓰는 데 거침이 없으며, 남자와 대등하게 성과 유흥을 즐기는 여성을 현대 '여성상'으로 가정해왔다는 사실을. 그러나 캐리 브래드쇼와 같은 여성은 미국이나 서유럽에만 존재하는, 그 지역 내에서도 일부 백인 여성만 해당되는 극히 예외적 경우이다. 미국과 서유럽의 다수 여성들이, 그리고 저개발 국가의 대다수 여성들이, 중세나 근대 초기에서 조금도 나아지지 않은 모습으로 심하게 착취당하며 살아가고 있었다. 그것을 인지하지 못했던 것은 대중매체와 엔터테인먼트 산업을 통해 하얀 피부의 세련된 서구 여성들의 이미지를 밥 먹듯 퍼먹고 살아온 나 같은 아시아 중산층 여성의 한계였다. 보이는 것만 보고 들리는 것만 들었던 사람의 한계.

이 책을 읽은 뒤 나는 "남편이 벌어다 주는 돈으로 편하게 먹고살지 않느냐?"라는 말에 이렇게 답할 수 있게 되었다. "남편이 벌어다 주는 돈으로 내가 먹고사는 게 아니다. 내가 먹이고 입히고 재워주고 아이들을 건사해주기 때문에 남편이 마음 편히 나가서 일하고 올 수 있는 것이다. 당장 내가 없다고 가정해보라. 아이들 보고 살림하느라 남편이 제시간에 출퇴근할 수 있겠는가? 2주짜리 출장을 아무 때나 갈 수 있겠는가? 내가 하는 일을 다른 사람에게 돈을 주고 부탁하려면 남편이 벌어 오는 돈 전부를 다 줘도 감당할 수 없을 것이다. '나'라는 비임금노동자가 있기 때문에 남편이 임금노동을 할 수 있는 것이다. 그러므로 우리 관계는 누가 누구에게 일방적으로 의존한다고 말할 수 없다. 우리는 상호 의존하는 관계다. 다른 모든 인간관계가 그러하듯이."

물론 언제나 이렇게 길고 진지하게 전투적으로 말하는 것은 아니다. 경우에 따라 "남편이 벌어다 주는"이라는 말을 웃으며 넘길 때도 있고, 위에 기술한 내용 중 한두 마디만 하면서 농담 반 진담 반으로 '당신이 그런 식으로 말하면 기분이 상한다'는 암시를 내보낼 때도 있다. 중요한 건 내가 그런 질문들 앞에서 주눅 들지 않게 되었다는 사실이다. '집에서 논다'는 말이나 '남편이 벌어다 주는 돈' 같은 말이 나올 때 나는 예전처럼 당황하거나 억울함으로 얼굴이 벌게지지 않는다. 낮에 들었던 말을 곱씹으며 밤새 잠 못 이루고 뒤척이지도 않는다. 상대의 입에서 튀어나온 말의 근원이 어디에 있는지 알기 때문이다. 그것이 전 지구적인 거미줄 구조의 가장 말단에 걸린 사람들 사이에서 오가는 말이라는 사실을 알기 때문이다. 나는 여전히 돈을 받지 않는 가사를 하고 집에서 '노는' 것처럼 보이는 상태로 살아가지만, 앞으로도 그럴 테지만, 내 마음속에서 나는 더 이상 놀고 있지 않다. 나는 겉으로는 그리 폼 나 보이지 않지만, 인간을 낳고 살게 하고, 아픈 이를 돌보는, 인간이 하는 노동 중에서 가장 가치 있는 일을 하고 있다. 아무렴 생명을 낳아 기르고 돌보는 일이 회사에 취직해 누군가에게 근본적으로 필요하지 않은 물건을 사게 하려고 기를 쓰는 일보다 가치가 떨어지겠는가. 아무리 세련된 슈트 차림으로 번쩍번쩍한 삼성동의 고층 빌딩을 출입한다 해도, 결국 회사원은 사장이라는 한 사람의 혹은 주주 몇몇의 돈주머니를 불려주는 일을 하고 있는 셈 아닌가. 물론 이렇게 말하는 순간에도 마음 한편에서는 '그래도 차려입고 밖에 나가서 일하고 싶다! 다양한 낯선 이들과 부딪히면서 자본주의의 한복판을 체험하고 싶다!'라는 생각이 일렁이지만 분명 내 마음은 이전처럼 불안하거나 억울하지 않다. 내가 하는 일이 무엇인지 알고, 내가 속해 있지 않은 종의 사람들이 하는 일이 무엇인지 알기 때문이다.

흔들리지 않으려면 사고가 단단해야 한다. 성차별적 통념으로 점철된 말이 날아왔을 때 움츠리면서 적개심을 분출하지 않으려면 나를 강건하게 만들어야 한다. 성차별적이고 여성 혐오적인 말이 불시에 공격해왔을 때 침착하게 대응하려면 막연한 분노나 억울한 정서를 넘어서는 뭔가를 장착하고 있어야 한다. 이를테면 주위 사람의 입에서 발화된 한마디 말에 담긴 역사적·문화적 함의를 꿰뚫어보는 통찰력, 나라는 사람이 딛고 선 빙산을 볼 줄 아는 지력, 성실히 공부해서 몸에 익힌 논리 같은 것. 이런 것들을 갖추는 과정에서 가장 먼저 일어나는 일은 '나 자신에 대한 설득'이다. 들려온 말이나 일어난 현상에 대해 확실한 주관을 갖고 있지 않으면 대화를 시작한 지 얼마 되지 않아 오랜 역사와 관성을 지닌 통념적인 말들에 무너지고 만다. 사고의 강건함을 갖추어야 타인에게서 날아오는 사회적 통념에 흔들리지 않고, 흔들리지 않아야 통념에 대적할 수 있다. 내게 이 책은 그쪽으로 난 길을 보여주었다. 보이는 것 이상을 보고 들리는 것 이상을 들을 수 있는 근력을 기르기 위해 걸어가야 할 길을.

『가부장제와 자본주의』는 여성의 재생산 곧 가사 노동과 육아를 다룬 책들 중 가장 밀도가 높은 책이었다. 핵심 방점은 세계 여성 분업 체제에 찍혀 있지만 이외에도 페미니즘의 종류와 역사에 대한 조망, 생산력 증대에 관한 마르크스의 비현실적인 낙관에 대한 비판, 남성 섹슈얼리티에 몰두했던 프로이트를 향한 일침, 먹이사슬처럼 연속 착취가 일어나는 구조, 여성의 재산

147

몰수라는 관점에서 조명한 마녀사냥 담론, 지구 곳곳에서 여성의 몸에 가해지는 폭력 행위 등 다양한 문제들을 꼼꼼하게 비추고 넘어간다. 그리고 이 모든 문제들을 지구적 차원에서 이루어지는 자본축적이라는 문제와 연결시켜 넓은 범위의 공간을 조망하게 해준다. 집에서 논다는 말에 울분을 느끼는 분, 혹은 주부는 집에서 펑펑 노는 주제에 왜 그렇게 불만이 많은 건지 궁금하신 분, 언어 변화와 의식 개혁의 측면에서만이 아니라 물질적이고 구체적인 측면에서 성별 분업을 들여다보고 싶은 분, 체계적으로 정리된 글로벌 경제학서를 읽고 싶은 분에게 권한다.

공존을 위해 무엇을 해야 하는가

박가분, 『포비아 페미니즘』

친구와 점심을 먹다가 육아에 관해 이야기를 나누었다. 내게 남은 몇 안 되는 이성 '친구'인 그는 고교 때 같은 동아리에서 만난 뒤로 20년 넘게 끊길 듯 말 듯 연을 이어오고 있다. 어릴 때 내 모습을 보았으면서 나와 다른 종족에 속한 사람이라는 희소성 때문에, 그 친구의 말에는 유심히 귀를 기울이게 된다.

"한남들은 안 돼."

집안일과 육아의 어려움에 대해 고충을 토로하다가 그가 불쑥 말했다. 맞벌이로 일하면서 딸 둘을 키우고 있는데, 결국 육아 부담이 제 아내에게 돌아간다는 얘기를 하다가 이렇게 결론을 내린 것이다.

"안 되다니 뭐가?"

심드렁하게 말하며 내 앞에 놓인 쌀국수 그릇 안으로 젓가
락을 밀어 넣었지만 속으로는 살짝 놀랐다. 저도 남자면서 '한
남'이라니! 자기와 같은 종족에 속하는 이들을 폄하하는 말을
아무렇지도 않게 내뱉는 그는 삼십 대까지만 해도 성별 문제를
놓고 나와 종종 얼굴을 붉혔던 '보수적인 한국 남자'였다.

"솔직히 와이프가 나보다 더 능력 있거든. 돈도 더 잘 벌고.
근데도 아이 문제 때문에 일을 제대로 하지 못하게 되더라고."

태어난 지 100일이 갓 넘은 둘째아이를 어린이집에 맡겨야
하는데, 차마 그렇게 할 수 없어서 아내가 회사를 그만둘까 심
각하게 고민하고 있다는 얘기를 하며 친구가 한숨을 내쉬었다.

"근데 웃긴 게 내 마음속에서 은근히 그 사람이 그만두기를
바라고 있다는 거야. 그렇게 되면 야근할 때마다 전전긍긍하면
서 서로 신경전을 벌이지 않아도 되겠다 싶더라고. 그런 거 보면
역시 한남들은 안 된다 싶어. 자기밖에 모르고."

"뭔 소리야? 네가 펑펑 놀면서 애 찾으러 안 갔어? 그런 거
아니잖아. 회사 일 때문에 어린이집 시간에 못 대겠어서 그런 거
잖아?"

나도 모르게 목소리 톤이 올라가고 입에서 침이 튀어나왔

다. 그게 왜 너밖에 모르는 거야? 그게 왜 한남 짓이야? 네가 애 찾으러 안 가고 술을 마시러 갔어, 룸살롱에 갔어? 회사에 남아서 일했잖아! 네 와이프도 야근하면 너한테 애 찾으러 가라고 하잖아. 그렇다고 네 와이프가 김치녀야? 맘충이야? 그런 거 아니잖아.

목에 핏대를 세우는 나를 물끄러미 바라보던 친구가 피식 웃음을 터뜨렸다.

"야, 정아은. 너 많이 변했다? 예전 같으면 못된 한남 새끼들 다 쓸어버려야 한다고 백 번은 말했을 타이밍인데?"

친구의 말을 듣고 나는 그제야 흥분을 가라앉혔다. 그러게, 내가 왜 이러지?

"변한 건 너지."

나는 살짝 눈을 흘기며 쌀국수 그릇을 들어 올려 국물을 들이켰다.

우리가 알아온 세월의 대부분 동안, 나는 주로 남성 중심 사회에 분노하며 항거하는 역할을, 그는 그런 나를 말리는 역할을 맡았다. 그는 "여자가"라는 말을 입에 달고 다니며 성차별을 일삼는 족속은 아니었지만, 선배들이 행하는 남성 중심적인 행태들에 직접적으로 항의 표시를 하지도 않는, 그러니까 속으론 잘

못됐다는 생각이 들어도 기존에 해왔던 관례들에 반기를 들기보다 묵묵히 받아들이는 쪽을 택하는, 흔히 볼 수 있는 '보통의' 한국 남자였다. 그리고 나는 명색이 친구라면서 그렇게 나에 대해, 내가 속한 종족에 대해 이해하지 못하는 그를 야속해하고 원망하고 비난했다. 우리의 십 대와 이십 대의 팔 할은 성별에 관한 말싸움으로 점철되어 있었다.

"넌 언제부터 한남이라는 말을 쓰기 시작했냐? 놀랍다?"

우리는 변모해온 우리들에 대해, 원래 각자의 모습이 어땠는지에 대해 두서없이 말하며 현재와 과거를 넘나들었다. 권위적인 남자 선배들과 툭하면 말싸움을 벌이는 나를 그가 뜯어말렸던 이야기, 엠티에서 왜 여자만 밥을 해야 하냐고 틈만 나면 불만을 표출하는 나를 입막음하느라 그가 얼마나 노심초사했는지에 대한 이야기가 오갔고, 한 시간만 점심시간을 쓸 수 있는 그의 사정 때문에 자리에서 일어서야 했을 때는 이십 대로 돌아간 듯 아련했던 분위기에서 빠져나오기 싫어 입맛을 다셨다.

"딸들 키우다 보니까 우리나라 남자들이 얼마나 못됐는지가 눈에 들어오더라고."

자리에서 일어서며 친구는 이렇게 말했다. 순간 나는 멍한 표정으로 친구를 올려다보았다. 딸들이라…… 그것이었을까? 친구의 변모와 나의 변모의 원인은 각자 부양하고 있는 자식들의 성별이었을까?

박가분의 『포비아 페미니즘』을 손에 든 건 순전히 호기심에서였다. 포비아 페미니즘이라니. 세상에, 누가 이런 제목의 글을! 겁도 없이 어찌 이런 책을! 궁금증에 얼른 책을 구해 읽었다. 가끔 나와 가치관이 현격히 다른 사람이 쓴 책도 '얼마나 희한한 논리를 펴는지 한번 보자'는 마음으로 집어 들 때가 있는데, 이 책이 그런 경우에 속했다.

약자의 위치에 있는 여성의 입장에서 세상을 보고 바꿔나가자는 게 페미니즘이 아니던가. 여성의 입장에 서 보는 경험을 바탕으로 그 밖의 다른 약자들의 위치로도 반경을 넓혀나가자는 게 페미니즘 아니던가. 그런데 공포의 페미니즘이라니. 두려움에 질리게 하는 페미니즘이라니. 이게 무슨 말도 안 되는 소리인가. 나는 엉터리 논리에, 편파적인 선입견 다발들에 조목조목 조소를 보내주겠다고 미리 독후 감상을 정해놓은 뒤 선명한 보색으로 채색된 강렬한 제목의 책 『포비아 페미니즘』을 집어 들었다. 독설로 가득 찬 치기 어린 책이리라 장담하면서. 그렇지만 이런 부류의 사람들이 어떤 논리를 펼치는지 알아둘 필요는 있다고 스스로에게 '쓸데없는 독서'에 대한 면죄부를 부여하면서.

책은 트럼프의 대통령 당선 풍경으로 시작한다. 저자는 미국 대선에서 힐러리가 패배한 이유를 힐러리 본인이 말하는 '유리 천장'에서 찾지 않고 미국 좌파들의 '정체성 정치'와 '정치적 올바름에 대한 집착'에서 찾는다. 정체성 정치는 한 사람에게 인종·성별·장애 유무에 따른 하나의 중요한 정체성이 있다고 가정한 뒤, 그 정체성에 맞추어 모든 것을 설명하고 조직하려는 움직임을 말한다. 미국 좌파들에게 전형적으로 일었던 움직임으로, 그 과정에서 그들은 윤리적으로 올바른 게 무엇인지를 정한 뒤 그와 다르게 생각하는 이들을 비난하고 몰아세운다. 미국 대중들이 거부감을 느낀 건 이 부분이었다. 무엇이 올바르고 그른지를 일방적으로 정한 뒤 자신들의 노선을 따르지 않는 사람을 단죄하고 가르치려 드는 사람들의 오만과 독선.『포비아 페미니즘』의 저자 박가분이 첫 장에서 촘촘히 기술한 미국 정가의 풍경은 이어지는 다음 장들에서 독선적으로 흐르는 한국의 페미니즘에 대한 비판을 펼치는 데 효과적인 밑거름으로 쓰인다.

남의 나라 대선 풍경을 직접 겪은 것처럼 생생하게 그려내고 날카롭게 비판하는 첫 장을 읽으면서 바로 알았다. 이 책이 말도 안 되는 억지를 부려 '세상에 저렇게 생각하면서 사는 사람도 있구나'라는 비틀린 쾌감을 주는 종류의 책이 아니라는 사실을. 그런 책으로 치부하기엔 논리가 너무 탄탄했고, 다른 이들의 말이나 글귀를 적재적소에 인용할 줄 알았으며, 자신이 비판하는 사안에 대해 무조건적인 비난을 날리거나 자신의 논리를 뒷받침하기 위해 작은 일화를 크게 침소봉대하지 않는 글이었다. 자신이 하려는 말이 무엇인지를 또렷하게 의식하고 이야기를 끌어가기 때문에 가독성도 높았고, 문장에 과장이나 허세가 없어 중간에 얼굴을 찌푸리면서 책을 덮게 되지도 않았다. 한마디로 '괜찮은 책'이었다.

2장부터는 우리나라 일부 좌파와 언론, 페미니즘 진영에 대한 본격적인 비판이 시작되는데, 구체적인 근거를 들어가며 펼치는 저자의 논리를 따라가며 내 안에 이는 다양한 감정들과 조우하게 되었다. 그것은 때로는 고개를 끄덕이고, 때로는 격한 반감을 느끼고, 때로는 부끄러움으로 어쩔 줄 몰라 하게 되는 뜻밖의 여정이었다. 진지하게 읽을 종류의 책이 아니라고 확신하면서 집어 든 책이었기 때문에, 오가는 감정의 폭과 강도가 더 크게 다가왔다.

'멈춰서 생각하기'라는 제목을 단 3장에서 저자는 페미니즘에서 하는 주장들에 대해 팩트 체크라는 이름으로 반론을 펼친다. 이 중에서 가장 흥미로웠던 것은 가사 노동시간과 성별 임금격차에 대한 부분이었다.

한국은 OECD 기준 최고의 남녀 임금격차를 기록하는 나라
인 동시에 세대별로 남녀 임금격차의 차이가 가장 많이 벌어
지는 나라이기도 하다. 그것을 반대로 뒤집어 말하자면 한국
은 지금까지 누적된 남녀 임금격차에 비해 젊은 세대의 남녀
임금격차가 훨씬 적다는 의미이기도 하다. 이러한 상황에서
젊은 남성의 경우 과거부터 누적되어왔던 남녀 임금격차의 책
임을 자신들이 전가받는 것이 부당하다고 생각한다. 왜냐하
면 젊은 남성의 경우 자신들이 남녀 임금격차를 초래한 책임
이 없다고 생각하며 그들이 예민하게 받아들이는 비교 대상
은 자신들의 어머니나 이모가 아닌 또래 여성이기 때문이다.[11]

여성운동에서 가장 심혈을 기울여 비판하는 부분인 성별
임금격차를 저자는 남자와 여자라는 각각의 단일 단위로 뭉쳐
서 보지 말고 세대별로 나누어 보자고 한다. 성별 임금격차는 윗
세대일수록 크게 나타나며 이는 '성차별적인 음모'에서가 아니
라, 급진적 근대화를 겪어야 했던 한국에서 기혼 남녀 간 제도
화된 트레이드오프 관계에서 비롯된 결과로 봐야한다는 것이

다 . 또한 젊은 세대에서는 성별 간 임금격차가 크게 나지 않으니, 이를 남녀 간 대결 국면으로 끌고 가지 말고 남과 여라는 집단을 각각 세대별·계층별로 나누어 보고 현실적이고 구체적인 대안을 도출해내자고 제안한다. 그리고 그 대안으로 장시간 임금노동 관행 타파를 내놓는다. 남성이 여성보다 더 많은 임금을 받아가게 되는 것은 주로 남성이 야근을 비롯한 힘든 일에 종사하기 때문이며, 이를 타파하기 위해서는 삶의 너무 많은 부분을 '일'에 쏟아붓게 만드는 사회 전체의 구조를 문제 삼아야 한다는 것이다. 직장에서 불리한 처우를 받는 여성도 힘들었겠지만 장시간 일하고 '가족 임금'을 받아가는 남성도 노동시장과 가정 양자에서 가장으로서 중압감을 느끼고 힘들었을 것이라는 점도 덧붙인다.

'남자는 일, 여자는 가정'이라는 통념이 기혼 남녀 간 제도화된 트레이드오프라는 부분에서는 주춤했다. 사회적 강제를 자발적 거래로 보다니, 남자의 입장에서는 그렇게 볼 수 있겠구나 싶어 쓴웃음이 나왔다. 하지만 그 부분을 제외한 다른 지적들은 상당히 설득력 있었다. 남녀 간 임금격차가 가부장제가 여성을 억압하기 위해 만들어낸 게 아니라 역사적·사회적 상황에서 나온 산물이라는 설명에는 완전히는 아니어도 상당 부분 동의할 수 있었고, 그 과정에서 남성도 이중적인 중압감으로 힘들었으리라는 부분에는 그보다 더한 공감이 갔다.

일부 여성주의자들은 임금격차마저도 '여성 혐오'의 결과라고 주장한다. 그러나 임금격차는 경제구조 및 가족 구조의 변화와 관련이 있을 뿐 여성 혐오와는 전혀 관계가 없다. 그것은 사회구조의 문제를 개인의 의도와 내적 성향의 문제로 귀속시키는 오류에 지나지 않는다.[12]

이 부분은 상당히 뼈아팠다. 평소 '여성 혐오'라는 말을 많이 했던 내 모습이 오버랩되면서, 내가 현상을 깊이 들여다보지 않고 너무 쉽게 여기저기 그 말을 갖다 붙였다는 사실을 깨달았던 것이다. 물론 저자의 주장처럼 임금격차가 여성 혐오와 아무런 관계가 없다고 말할 수는 없을 것이다. 많은 경제 현장에서 여성이 여성이라는 이유로 능력과 상관없이 배제되는 현실을 여성 혐오와 완전히 떼어놓고 생각할 수는 없다. 그러나 '여성 혐오'라는 말이 너무 광범위하게 전가의 보도처럼 쓰이고 있다는 면에서, 때로는 아무런 관련이 없는 문제에도 마구 가져다 쓰이고 있다는 면에서, 저자의 지적은 새겨들을 만했다. 하나의 논리

로 세상 모든 것을 설명하려 들면 결국 교조주의적 독선에 빠져

들게 마련 아닌가.

성별 임금격차를 사회구조와 역사적 맥락에서 들여다보는

기회를 가지면서 알게 된 또 하나의 사실은 하나의 성별에게 과

도한 부담이 지워지면 그것이 그 반대편의 성에게도 영향을 미

치게 된다는 점이었다. 여성에게 과도한 가사 노동이 지워진 만

큼 남성에게는 가족들을 먹여 살릴 돈을 어떻게든 벌어 와야 한

다는 중압감이 지워진다는 측면을 보게 된 것이다. 이 지점을 눈

여겨보는 것은 중요하다. 성별에 따른 차별 임금이 남성에게도

부담과 고통으로 기능했다는 사실을 조명하면 성차별적인 임금

체계를 무너뜨리는 일이 남녀 모두에게 이롭다는 주장에 설득

력이 생기기 때문이다. 여성이 낮은 임금을 받는 현상을 남성에

대한 분노로 연결시켜 '루즈루즈 게임'을 하지 말고 남, 여가 합

세해서 일하는 시간을 줄이도록 압력을 넣자, 일한 시간에 대

한 적정한 임금을 받아가도록 함께 연대하자는 저자의 주장은

상당한 울림이 있었다.

성별 임금격차를 다룬 3장은 가장 신선하고 인상적이었지

만, 동시에 찜찜한 감정을 남기기도 했다. 저자는 성별 임금격차

가 나는 이유를 (1) 여성이 장시간 일하지 않는다는 점, (2) 고소

득 직종의 일인 공학 계통 일을 여성이 기피한다는 점, (3) 세대
별로 따져보지 않았기 때문에 정확한 실상을 반영하지 못한다
는 점에서 찾는다. 그런데 이 이유들을 기술하는 방식이 너무 기
계적이다. 수치와 통계를 동원해 마치 수학 문제를 풀듯 풀어나
간다. 페미니즘 진영이 팩트가 아닌 추론과 과한 의미 부여를 통
해 논점을 풀어나간다는 자신의 비판을 의식했기 때문일까. 자
신이 '팩트'를 동원하고 있음을 보여주려는 기색이 너무 역력하
다. 하지만 그런 식으로 '객관적' 수치와 논리에만 매달리면 전체
적인 사회현상을 관통하는 통찰과 복잡다단한 맥락을 놓치기
쉽다. 이는 『포비아 페미니즘』 전반에서 아쉬움을 느꼈던 이유
이기도 했다.

저자의 주장에는 팩트는 있을지 모르지만 여성이 장시간 노
동이나 힘든 일을 기피하게 되는 사회적·문화적 지반에 대한 통
찰이 결여되어 있다. 시시각각 '용모 단정한' 상태를 유지해야 한
다는 암시를 부여받는 여성이, 화장을 하지 않으면 예의 바르지
않은 것이라는 통념을 거리낌 없이 표출하는 사람들 사이에서
일상을 살아내야 하는 여성이, 아이를 낳고 기르고 정서적으로
지지해줄 임무는 온전히 엄마에게 있다는 전 사회적 차원의 세
뇌에 시달리는 여성이, 어떻게 팔을 걷어붙이고 힘든 일을 하면

서 야근을 받아들이겠는가. 여성이 오랜 시간을 들여 힘들게 일해야 하는 핵심적인 일들을 하지 않는 (또는 하지 못하는) 이유는 여성의 선택이라기보다 '남자는 일, 여자는 가정'이라는 사회의 의지가 내보내는 묵직한 메아리와 그에서 파생되는 복합적인 제도적·관습적 기제들 때문이다. 이 책에 따르면 온종일 집 안팎을 오가며 다양한 난이도의 일을 하는 나, 그렇지만 그렇게 산다는 사실에 대한 폄하를 사회로부터 시도 때도 없이 받아야 하는 나는 장시간 근무를 하고 싶지 않았기에 스스로 집에 있는 편을 택한 것에 지나지 않는다. 그렇지만 실제의 나는 그러했던가? 일하기 '싫어서' 회사를 그만두었던가? 자신 있게 말하지만, 절대 그렇지 않았다. 나는 계속 일하고 싶었고, 지금도 일하고 싶으며, 앞으로도 어떻게든 사회에 진출해보려고 호시탐탐 기회를 노리며 살아갈 것이다. 그렇기에 이 책은 그리고 특히 3장은 신선한 참조점으로 삼을 여지는 있었으나 묵직한 울림을 주거나 고민하던 문제에 근본적인 통찰을 주지는 못했다.

곰곰이 생각해보니 그것은 폭넓은 사유의 부재랄까 혹은 연륜이 쌓이지 않은 이가 오직 냉철함만 뿜어내는 데서 오는 삭막함이랄까, 그런 데에서 왔던 것 같다. 『포비아 페미니즘』은 여성이 기나긴 세월 동안 이등 시민이었다는 커다란 전제를 간과

161

한다. 저자의 말처럼 임금격차와 가사 노동 혹은 전쟁 같은 상황에서 남녀는 양쪽 다 고통받았을 것이다. 일부 페미니즘 인사가 주장하듯이 이 불합리한 현실에서 오직 여성만이 고통받는 건 단연코 아니었을 것이다. 남성도 '죽었다 깨어나도 처자식을 부양해야 한다'는 과도한 책무와 힘들고 더러운 일을 당연한 듯 짊어져야 하는 상황들로 힘겹게 인생을 살아야 했을 것이다.

그러나 남자는 언제나 일등 시민이며, 기준점이며, '사람'이었다. 지금도 그러하며, 아마 앞으로도 그러할 것이다. 남자는 당연한 듯 주민등록번호 뒷자리가 2로(혹은 4로) 시작하지 않고, 여타 가족 모임에서 가만히 앉아서 밥상을 받아도 '가정교육을 잘못 받았다'고 혹독하게 비난받지 않으며, 군역을 진 대가로 시민으로 인정받는 제도에서 처음부터 열외가 되어 시민이 아니라고 배제된 뒤 어느 날부터 갑자기 '군대에 가지 않는 얌체족'이라고 비난받지 않는다. 초등·중등·고등의 의무교육 과정에서는 물론이고 대학 생활, 사회생활을 하면서 모든 교육 내용의 주체가 '남자'로 되어 있어서 도대체 여자인 나의 입장에서는 저 강단에 선 자가 하는 말을 어떻게 소화해야 할지 몰라 당황스러운 상황을 매일매일 겪지 않아도 된다. 영화관에 가면 슈트를 쫙 빼입은 남자들이 화면을 종횡무진 활약하고 다니는데 여자는 가끔, 그것도 홀딱 벗은 상태로만 출연해 남자의 성욕을 해소해주는 역할만 하고 사라지거나 아니면 현실에 절대 있을 수 없는 천사의 형상으로만 나오고 퇴장하는 걸 보면서 도대체 영화의 어느 포인트에 공감해야 할지 몰라 낭패감을 느끼는 경험을 하지 않아도 된다. 텔레비전 뉴스에 나오는 국회의원이 전원 혹은 95퍼센트가 넥타이를 달랑거리는 남자인 광경을 매일 보고, 시사 프로그램과 교양성 오락 프로그램에 남자 출연자들이 우르르 나와서 오직 남자의 관점에서 본 이야기만을 하고, 그것이 '사람들' 일반의 얘기인 양 통용되는 것을 보면서 매번 씁쓸함을 맛보지 않아도 된다.

개개 화두에서 오는 고통의 양이 동일할지라도, 그 고통에 주체로서 참가하는 사람과 객체로서 참가하는 사람은 완전히 다른 감흥을 받게 된다. 음식점에서 똑같이 서빙을 하더라도 사장은 진심에서 우러나오는 미소를 띠게 되고 종업원은 억지웃음을 짓게 되는 것과 같은 맥락이다. 저자가 간과한 부분은 이것이다. 이것은 그가 예로 드는 모든 경우의 밑바닥에 근본적으로 깔린 전제인데, 이를 간과했기 때문에 이 신랄한 책은 묵직한 울림을 주지 못하고 그저 참신한 논리의 향연이라는 인상만 주고 지나간다. 근본적인 전제를 외면한 채 기계적으로 결과만을 놓고 남녀 양성을 비교하기 때문에 가슴 깊은 곳에서 독자를 설득하지 못하는 것. 또한 이는 페미니즘 진영 인사들이 그토록 많은 시간과 공을 들여 성 평등 담론을 의제화하려는 이유이기도 하다. 이등 시민 혹은 투명인간인 이들의 말은 아무리 공을 들여도 원래부터 일등 시민이면서 기준점이었던 이들의 말만큼 영향력을 발휘하지 못하므로. 이는 저자가 주장하는 것처럼 이삼십 대 남성이 이전 세대 남성과 완전히 다른 존재라고 말할 수 없는 이유이기도 하다. 몇천 년에 걸쳐 전승되어온 기준점으로서 남자의 역할에서 완전히 이탈해 있을 수 있는 남자는 원천적으로 존재할 수 없으므로.

그럼에도 불구하고 이 책의 임팩트는 상당했는데, 최근 몇 년에 걸쳐 서서히 증폭되어오던 하나의 성향, 하나의 태도에 대해 생각해보게 해주었기 때문이었다.

정치적 올바름을 명분으로 한 익명의 폭로가 단지 유명인뿐만 아니라 일반인의 삶 역시 파괴할 수 있다는 것을 여실히 보여준다. 이는 익명의 폭로와 조리돌림을 통해 생길 수 있는 불의의 피해에 대한 감수성 함양과 피해 구제에 대한 논의가 필요한 이유이기도 하다.[13]

책의 3분의 2를 넘어서는 지점에서 만난 이 구절을 읽는데, 머릿속으로 여러 인물이 스쳐 갔다. 상대 여성의 거짓 폭로로 이미지에 치명타를 입게 된 남성 작가, 동료 교수의 책략으로 성폭력 가해자로 몰린 뒤 스스로 목숨을 끊은 모 대학의 남 교수, 사귀었던 여성에게 성폭력범으로 몰린 뒤 이미지에 치명타를 입게 된 젊은 남성 논객……. 매체의 발달과 여성운동의 조류 사이에서 억울한 일을 당한 뒤 손상된 이미지를 안고 평생을 살아가야 하는 남성들의 얼굴이 지나간 뒤로, 얼마 전 점심을 함께했던 친구의 얼굴이 떠올랐다. 그리고 그 뒤를 이은 건 내 아들들의 모습이었다. 전혀 연관성이 없을 것 같은 이들이 하나의 선상에 나란히 세워지는 순간, 전기라도 들어온 듯 뇌리에 번쩍 빛이 켜졌다. 아, 그렇구나.

내가 억울하게 성폭력범으로 몰린 남성들을 보며 안타까움을 느꼈을 때, 자신을 '한남'이라 몰아세우며 자조하는 친구에게 그게 아니라고 애써 변론을 펼쳤을 때, 나는 그 자리에 줄곧 내 아들들을 소환했다. 아들들의 미래상을 그리며 사안을 바라보았던 것이다. 내 아들들도 그런 일을 겪을 수 있겠구나. 훗날 자신을 한남이라 자조할 수 있겠구나. 내 동창이 제가 속한 종족을 한남이라 칭할 정도로 여성에게 가해지는 사회적 압박에 민

감한 사람으로 변모한 것도 같은 맥락이었으리라. 제 딸들에 대해 미리 경험하는 감정이입과 억울함. 가까이서 매일 접하는 다른 생명체를 보며 자신과는 '다른' 존재에 대해 알고, 이해하고, 받아들이고, 종내 같은 인간으로서 연민하는 것. 그것이 나와 내 친구가 젊은 시절 모습에서 반대되는 방향으로 걸어가게 된 연유였다.

내가 『포비아 페미니즘』이라는 책에 손을 뻗치게 된 것도 어쩌면 이런 지형에서 유래하지 않았을까? 이삼십 대의 나였다면 제목을 봄과 동시에 고개를 돌려버렸을 책에 호기심을 느꼈던 것도, 그다지 마음에 드는 부류의 작가는 아니지만 무슨 말을 하는지 한번 들어나 보자는 심정으로 책장을 열어젖혔던 것도, 전적으로는 아니지만 부분적으로 동의하며 고개를 끄덕였던 것도, 아들 둘의 엄마라는 나의 존재 조건에서 유래했던 것이 아닐까? 내가 생각하는 '나'라는 사람은, 나의 '자아'라 일컬어지는 무언가는, 실체가 있을까? 어쩌면 그것은 불변하는 고정된 존재가 아니라 매 순간 형성되는 유동적인 무언가가 아닐까? 지금 하는 이런 생각을 내일도 그대로 유지하고 있을까? 의문이 파도처럼 일었고, 그 파도를 타고 나는 다음 독서를 향해 나아갔다. 예전의 나였다면 절대로 읽지 않았을 부류의 책, 안티 페미니즘

의 대표 저서라 불릴 수 있는 책,『포비아 페미니즘』에도 상당한
영향력을 끼쳤을 것으로 보이는 그런 책을 향해.

내 몸 안에 갇힌 나를 어떻게 들여다볼 것인가

로이 F. 바우마이스터, 『소모되는 남자』

『소모되는 남자』는 로이 F. 바우마이스터라는 미국 남성 교수가 매우 극단적인 '가상의 페미니스트'를 상대로 반론을 펼치는 형식으로 진화 심리학적인 남성 담론을 풀어낸 책이다. 첫 독서 때는 여성에 대해 표면 현상만으로 단정 짓고 넘어가는 품새 때문에 책을 덮어버리고 싶은 충동에 시달렸다. 이 작가는 그러니까 내가 살면서 만나온 '꼰대들' 혹은 남자라는 이유로 나를 가르치려 들었던 일군의 남성들을 대표하는 듯한 사람이었다. 그리고 그런 남성들의 전형이라는 생각이, 나를 끝까지 읽도록 이끌고 갔다. 대체 그런 남성들은 무슨 생각을 할까? 왜 잘 알지도 못하면서 여성에 대해 그토록 아는 척하고 가르치지 못해 안달일까?

그들의 생각을 이해하면, 그들이 왜 그렇게 편협하고 못나게 구는지 알게 되면, 향후 그런 부류의 사람들과 만났을 때 흥분하지 않고 현명하게 상황을 넘기게 되리라는 계산이었다.

작가가 책에서 펼치는 주장은 크게 두 가지다. 하나는 남성이라고 해서 다 지배자이고 특권층이 아니라는 주장이다. 흔히 여성들은 남성들이 모두 여성 위에 군림하면서 편하게 살아간다고 착각하는데, 실제로 그렇게 사는 남성은 극소수에 불과하다. 극소수의 상류층 남성들만이 많은 돈을 소유하고 떵떵거릴 뿐, 나머지 대다수 남성들은 사회가 요구하는 거칠고 위험한 일을 하면서 자신을 소모한다. 여성들은 '유리 천장' 운운하며 상층부에 자리한 남성들만 쳐다볼 것이 아니라 지저분하고 험한 일터나 길거리에서 먹고 자는 노숙자들을 보아야 한다. 사회는 여성을 '보호해야 할' 존재로 생각해 희생시키지 않지만 남성은 체제의 존속을 위해 가차 없이 희생시킨다. 사회가 여성을 보호하고 남성을 소모품처럼 쉽게 버리는 것은 인류의 재생산, 즉 아이를 낳는 성을 중시하기 때문이다.

또 하나의 주장은 남성과 여성이 다른 생활을 영위하는 이유가 둘 사이의 '능력' 차이 때문이 아니라 '동기' 차이 때문이라는 것이다. 작가는 남녀가 조직에서 리더 자리를 꿰차는 비율,

남녀의 임금 차이, 인류 역사에서 늘 남성이 사회를 이끌고 지배했던 이유를 여성이 남성보다 '능력이 모자라서'가 아니라 여성이 그런 일들을 '하고 싶어 하지 않아서'였다고 설명한다. 여성은 큰 조직에서 일하기보다는 가까운 몇 명과 깊게 교류하고 싶어 하고, 그렇기 때문에 큰 조직에서 능력을 발휘하지 못한 채 적은 임금을 받게 되며, 거대 조직에 속해서 일하지 않기 때문에 사회를 이끌어가지 못했던 것이라고.

첫 번째 주장은 꽤 설득력이 있었다. 그동안 나는 남자=특권층이라 생각하면서 남자라면 무조건 적대시하는 경향이 있었는데, 이 부분을 읽으면서 그 생각이 오류였음을 알았다. 남자도 남자 나름이라는 생각. 남자를 분류해서 나누어 보아야겠다는 생각. 이런 생각을 한 다음에는 위험한 건설 현장에서 일하는 이들이나 뉴스 화면 속 원전에서 방진복을 입고 일하는 이들의 성별이 남자라는 사실이 또렷이 눈에 들어왔다. 당연시 여겼던 현상을 의식해서 특별하게 보게 된 것이다.

그러나 두 번째 주장은 너무 단순하고 편협했다. 작가는 능력이 아닌 동기로 설명하면 젠더 이슈가 만들어내는 적대감을 누그러뜨릴 수 있다고 주장하면서 시종일관 여성은 '-하고 싶어 하지 않았을 뿐이다'라는 논리를 편다. 그런데 이 부분이 너무 비현실적이다.

문화 시스템은 이혼하는 부모들로 하여금 자녀 양육에 필요한 돈을 어떻게 마련할 것인가를 고민하게 만든다. 여성들은 종종 갈라서는 남편에 비해 서툰 기량 및 자질을 가지고 있거나 아예 일을 하고 싶어 하지 않는다.[14]

작가는 이혼하고 혼자 아이를 키우는 여성이 일하지 않는 이유를 여성의 '동기'에서 찾는다. 여성이 일하기 싫어해서 일하지 않기를 선택했다는 것이다. 이런 논리는 책의 도처에서 나오는데, 여성은 (1) 일하기보다는 아이를 돌보고 살림하고 싶어 하고 (=그래서 일하지 않고, 그러므로 승진도 당연히 하지 못하고) (2) 창의적이고 도전적인 일을 하기보다는 가까운 사람들을 돌보며 깊게 교류하고 싶어 하며 (=그래서 인류사에서 창의적인 인물들은 모두 남성이었고) (3) 남성과 사귀고 결혼하는 이유는 여성 자신의 욕망이나 인간적 교류의 실현을 위한 것이 아니라 오직 아이를 낳아 잘 길러내고 싶어 하기 때문이다.
　참으로 놀라운 발상이었다. 엄마가 된 여성이 직장을 그만두는 것을 그 여성의 '선택'이라고 생각하다니. 한 사람을 낳아 길러내고 교육하는 임무를 오직 엄마라는 한 여성에게만 지우는 사회구조를 보지 않고 그저 표면으로 나타난 현상만으로 '여성은 원래 일하기 싫어하고 집에 머무르면서 자식을 낳아 돌보는 것을 좋아하기 때문'이라고 단정하다니. 직장에 다니지 못하게 된 여성의 내면을 살짝만 들추어보아도 그 밑에 바글거리는 사회적 압력, 문화적 편견이 보일 텐데 세계적 석학이라는 사람이 그걸 보지 못하는 것이다! 아니, 일부러 보지 않는 것일까?

이어지는 대목은 더 놀랍다.

> 만약 전남편이 돈을 지불하지 않으면 납세자가 개입해야 하는데, 이는 비효율적인 데다가 아동의 안녕을 정부 예산과 정치인들의 의사 결정에 의존하도록 만드는 문제점들이 생긴다. 그러므로 문화는 아이를 키우는 여성들을 부양하기 위해 계속해서 남성들로부터 돈을 얻을 필요가 있다.[15]

작가에 따르면 일하고 싶어 하지 않고 오직 아이만 키우려고 하는 여성들 때문에 납세자의 돈이 축난다. 납세자 대부분이 남성이라는 점을 생각해보면 결국 남성의 돈이 여성에게 이전되는 셈이다. 그러므로 결혼 제도는 남성의 재화를 여성에게 이전시키기 위한 덫이고 착취이다. 남성이 지속적이고 진지한 관계에 돌입하려 들지 않는 것은 즉, 결혼을 회피하는 것은 이러한 착취를 피하기 위해서일 뿐이다.

결혼을 여성을 무급 가사 노동에 묶어 사회 진출을 하지 못하게 만드는 덫이라고 생각해왔던 내게 이러한 시각은 경탄을 자아냈다. 결혼이 남성의 돈을 여성에게로 이전시키기 위한 교묘한 장치라니. 와우! 작가에게 박수를! 성별이 다르다는 이유로 사람은 얼마나 다르게 세상을 보는가. 같은 사건이 등장인물에 따라 계속 다르게 해석되는 다인칭 시점 소설을 보는 듯한 느낌이었다.

그러나 그것은 순전히 '읽는 쾌감'을 기준으로 했을 때 그랬다는 말일 뿐, 작가가 펼친 주장에는 전혀 동의할 수 없었는데, 그것은 작가가 가진 세계관의 한계가 너무 노골적으로 드러났기 때문이다. 작가는 시종일관 남성을 생산적인 성으로, 여성을 비생산적인 성으로 그리는데, 그것은 순전히 남성이 임금노동을 하기 때문이었다. 작가가 생각하는 '생산성'이 오직 자본의 이익을 불리는 범주에만 머무는 것이다. 회사를 소유한 이의 호주머니를 불리기 위해 아침부터 밤까지 심신을 바쳐 일하는 행위만이 생산적이고, 사람을 낳고 기르고 아픈 이를 돌보는 행위는 비생산적이다. 일한 대가가 돈으로 환산되지 않는 노동은 납세자의 귀중한 돈을 축내는 비생산적이고 가치 없는 일일 뿐이다.

책의 서두부터 자신은 한때 페미니스트라 자처했을 정도로 페미니즘에 대해 잘 안다고 밝히는 작가가, 어째서 여성이 집에서 하는 일을 이렇게밖에 생각하지 못했을까? 기본적으로 자본주의 체제가 여성이 무상으로 행하는 돌봄 노동에 기대지 않으면 돌아가지 못한다는 점을 왜 간과할까? 자본주의 체제를 지탱하는 필수 요소인 노동자를 여성이 낳아주고 길러내지 않는다면 어떻게 체제가 돌아갈 것이며, 체제가 돌아가지 않는다면 남성이 생산적인 일을 하는 건 원초적으로 불가능하지 않은가 말이다.

책을 읽던 초반에, 작가가 펼치는 주장에 잠깐 혹했더랬다. 남성을 균질한 하나의 집단으로 보지 말자는 주장이 설득력 있었고, 남녀 차이는 능력이 아닌 동기에서 온 것이라는 주장도 현명하고 배려심 있어 보였다. 책 전체에서 깔고 가는 진화 심리학의 논리도 그럴싸했다. 종족 번식을 위해 남자는 성적 욕망이 넘쳐나고 여자는 성욕을 전혀 느끼지 않으며, 여자는 오로지 자신이 낳은 아이를 잘 기르기 위해 남자의 부양 능력에만 관심을 가진다는 주장도 꽤 설득력 있었다. 그러나 다행히도(?) 책 중반을 넘어가면서 작가는 초반에 보여주었던 논리적인 기세를 잃고 희망 사항과 판타지를 늘어놓으며 폭주했고, 어린아이의 말처럼 들리는 단선적이고 억지스러운 주장들을 늘어놓았다. 그 덕분에 나도 작가의 주장과 진화 심리학 논리에 의문을 품게 되었다. 여성은 원래 일하기 싫어하는 종족이라고? 말도 안 돼. 나는 일하고 싶은데? 너무 일하고 싶어서 매일 구인 사이트에 들어가 한 시간씩 흘려보내는데? 큰애를 낳은 뒤 어떻게든 회사를 그만두지 않으려 애썼던 나의 모습, 엄마가 된 뒤에도 계속 일하려고 이것저것 알아보다 결국 울며 겨자 먹기로 회사를 나온 주위 엄마들의 모습을 떠올리면서 나는 비로소 알게 되었다. 진화 심리학의 논리가 얼마나 허황된지. 저자를 포함한 진화 심리학 추종자들이 무엇 때문에 그런 허황된 논리를 펼치는지. 아마도 그것은 남녀의 성별 분업이 뚜렷하고 여성이 돌보는 일을 전적으로 전담하며 결혼 제도를 공고히 뒷받침하던 지난 시절에 대한 향수이리라. 흘러간 시절에 대한 그리움과 그 시절을 되돌려보겠다는 안간힘.

『소모되는 남자』는 읽는 동안 극적인 심경의 변화를 몰고 왔던 책이었다. 중반을 넘어가면서부터 너무 노골적인 여성상 왜곡에 화가 치밀기도 했지만, 그래도 전혀 보지 못했던 지점(남자가 균일한 하나의 집단이 아니라는)을 볼 수 있게 되었다는 점에서 만족스러웠고, 억지스러운 논리로 귀결하고 만 한 석학의 실수를 통해 역지사지할 수 있었다는 점도 큰 소득이었다. 후자를 소득으로 받아들인 것은 두 번째 독서를 할 때였는데, 첫 번째 때와 달리 작가의 논리를 하나하나 짚어 반론을 펼치면서 작가와 토론을 벌이는 듯한 스릴을 만끽할 수 있었다. 그리고 그 스릴은 나 자신에 대한 반추라는 뜻밖의 성과로 이어졌다.

돌아보면 그동안 나는 페미니스트를 자처하고 다니면서 내가 펼치는 주장을 옹호하기 위해 크고 작은 현상들을 침소봉대해왔다. 젠더 간 뜨거운 논쟁을 일으킨 크고 작은 사건들을 해석할 때, 어느 시점부터는 남녀 모두 잘못했음을 깨닫고도 남성의 일방적인 잘못으로 판단한 기존의 주장을 계속 고수했다. 나중에 생각해보니 그것이 꼭 내가 여성이고 상대가 남성이어서가 아니라 성별과 상관없는 '개인차'에서 유래한 일이었음을 깨닫고도 내 주장을 철회하거나 상대에게 사과하지 않았던 적도 많았다. 주장을 관철하기 위해 『소모되는 남자』의 저자와 똑같은 오류를 범했던 것이다. 아무리 주장하는 '대의'가 옳다는 확신이 있어도 그 대의를 뒷받침하기 위해 아닌 것을 맞다고 하면 안 되겠구나. 저자와 나의 모습을 겹쳐 보면서 고개를 끄덕이는 순간이었다. 모순점을 못 본 척하고 지나가버리면 결국 그 대의에 커다란 구멍을 내게 된다. 과잉 일반화와 확증 편향으로 점철된 이 책은 그런 메커니즘을 보여주는 훌륭한 예시였다.

　로이 F. 바우마이스터는 기존의 천편일률적인 남성 우월주의적 시각이 아닌 '동기에 초점을 둔 논리'를 전개한 똑똑한 학자이다. 그러나 자기 논리를 방어하기 위해 누가 봐도 말도 안 되는 주장을 밀어붙임으로써 (여자는 일하기 싫어한다거나, 역사적으로 여성이 아무도 말리는 이가 없었음에도 불구하고 군사를 조직하거나 조직을 꾸리는 일을 하지 않은 이유를 알 수 없다거나) 결과적으로 나 같은 독자에게 속을 훤히 보여주는 비극을 연출하고 말았다. 이렇게 쓰고 있으니 미심쩍어진다. 과연 실수였을까? 여성이 사회적 압력 때문에 일을 그만두거나, 군사를 조직하는 건 꿈꿀 수 없을 만큼 사회적 제약을 받았다는 걸 뻔히 알았으면서도, 그 정도쯤은 선택의 문제로 뭉뚱그려도 괜찮다고 생각했을까?

　두 번째 독서를 마칠 때쯤, 그동안 내가 젠더와 관련해서는 여성이 쓴, 여성을 위한, 여성의 입장에서 본 책들만 주야장천 읽어왔다는 사실을 깨달았다. 그리고 그것이, 독서 초반에 저자의 주장에 쉽게 빠졌던 이유였다. 내 안에 나와 비슷한 이들의 생각만 쌓아갔기에 단순한 잽에 훅 하고 넘어갔던 것이다. 저자가 나중에 자기 논리를 마구 무너뜨리면서 허점을 드러냈기에 망정이지 안 그랬으면 어쩔 뻔했는가? 책을 덮은 뒤 가슴을 쓸어내리며 생각했다. 앞으로 나와 반대되는 생각을 하는 이들의 말에 귀 기울여야겠다! 내 안에 새로이 어떤 가치관을 정립하게 되면 최우선적으로 그 가치관과 반대되는 지점으로 달려가 그 지점에 모인 이들의 뇌를 탐구해야겠다! 나와 다른 사고를 하는 이들과 대화하면 혹은 그들의 저작을 읽으면 나와 같은 의견을 지닌 사람들과 교류하며 서로의 생각을 강화해줄 때보다 뇌의 다양한 부분들을 쓰게 된다. 반론하고 정정하느라 이전에는 가보지 않았던 다양한 대륙에 발을 들여놓게 된다. 또한 상대의 오류라는 반사판에 비친 나의 오류를 맞닥뜨리고 반성적으로 돌아보게 된다. 상대의 논리에 100퍼센트 동의하지 않는다 해도, 일정 부분 수긍하고 받아들이면서 완고한 철옹성을 이루던 고정관념의 일부를 깎아내게 된다. 이를 통해 내 사유를 풍부하고 입체적으로 만들 수 있으니 한 번의 독서로 얼마나 많은 이득을 누리는 셈인가.

사람은 제 모습을 보지 못한다. 제 육신 안에 갇혀 있기에 바깥에서 객관적으로 제 모습을 보지 못하는 것이다. 그러므로 자신을 제대로 보려면 주위 사람들을 거울삼아, 가까운 이들에

비친 내 모습을 성찰하며 살아야겠다고 생각해왔다. 그런데 그보다 더 강력한 거울이 있었다. 나와 친하지 않은 사람 혹은 나와 정반대 의견을 가진 사람이라는 거울이.

4장

경계선

너머의

세상

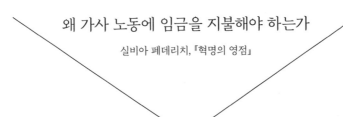

왜 가사 노동에 임금을 지불해야 하는가

실비아 페데리치, 『혁명의 영점』

오랜만에 친한 선배와 만났다. 점심을 함께하며 쌓인 이야기들을 나누다가 선배가 불쑥, 어제부로 회사를 그만두었다는 말을 했다. 나는 놀란 얼굴로 선배를 쳐다보았다. 선배가 아이 둘을 낳아 키우며 얼마나 어렵게 '일'을 지켜왔는지 죽 지켜봐 왔기에, 이제 조금 수월해진 (현재 큰아이가 중학생이고 작은아이가 초등학생이다) 상황에서 회사를 그만두는 게 너무 아깝게 느껴졌다.

"(사내) 정치를 해야 되는데, 못 하겠더라고. 한다고 되는 것도 아니고."

오랜 경력과 탄탄한 실력으로 무장한 선배였지만 속한 부서의 '장'급 자리를 목전에 두고 두 손을 들고 말았다. 부서를 총괄

182

하는 자리를 두고 다투는 이들이 모두 남성이었고, 그 남성들이 모두 유력한 (남성) 연줄을 잡고 있어 어차피 승진하지 못할 것 같았다는 말을 한 뒤 선배는 이렇게 덧붙였다.

"근데 너, 우리 애들한테는 나 일 그만둔 거 말하면 안 된다. 절대!"

일을 그만두었다는 사실을 시가에는 비밀로 할 예정이라, 아이들에게도 엄마가 재택근무 반 출근 반으로 출퇴근 방식을 변경해 일하게 되었다고 둘러대겠다는 것이었다.

"조심할게, 걱정 마."

행여나 내가 아이들과 함께한 자리에서 말실수를 할까 봐 미리 입단속을 하는 선배를 안심시키는데, 나도 모르게 쓴웃음이 나왔다. 혹시라도 내가 하지 말아야 할 말을 하게 될까 봐 전전긍긍하는 눈앞의 여성은 쉰 살의 성인이었다. 일하는 분야에서 이름 석 자를 대면 모르는 이가 없을 정도로 쟁쟁한 실력을 갖춘 사회인이었다. 그런데 자기 인생에 일어난 중요한 변화를 떳떳하게 밝히지 못하고 쉬쉬해야 하다니. 경쟁자였던 남성들이 회사에서 승승장구하고 거물급 전문가로 성장하는 동안 선배는 겨우 시가에 거짓말이나 해야 하다니! 물론 그렇게 할 수밖에 없는 상황은 이해한다. 선배의 시가는 제사나 명절 문화가 거의 조선조를 연상케 할 만큼 (실제로 조선 시대에는 그렇지 않았다는 설도 있지만) 형식을 따져 지키는 보수적인 집안이었다. 선배는 회사를 다니면서도 제사니 명절이니 하는 행사에서 해야 하는 일들 때문에 골머리를 앓았는데, 회사를 그만두었다고 말하면 그나마 회사 일 때문에 면제되었던 온갖 집안 행사에 쉴 새 없이 불려 다닐 것이었다. 새롭게 할 일을 알아보려면 시간이 많이 들 텐데, 당장 일하고 있지 않다는 이유로 시가에 끌려다니다 보면 자기 시간을 갖기가 쉽지 않을 터였다. 그래도 그렇지. 왜 당당하게 회사를 그만두었다고 말하지 못하는가? 그러나 그런 행사에 대놓고 반기를 들 수 없는 우리나라의 문화적 관행을 뻔히 알기에 선배를 책망하거나 시가를 개혁하라고 부추길 수도 없었다. 그러니 쓴웃음을 지으며 고개를 끄덕일밖에.

선배와 헤어져 집으로 돌아온 뒤에도 이 일화는 마음에 묵직하게 남았다. 선배뿐만 아니라 내 주위 많은 여성들이 회사를 나올 때 비슷한 과정을 밟았고, 그런 사례를 접할 때마다 마음이 착잡했다. 왜? 왜 여성들은 회사를 그만두었다는 사실을 숨겨야 하는가? 왜 여성들은 제 삶의 가장 중요한 부분을 거짓으로 말하고 다녀야 하는가?

실비아 페데리치는 '가사 노동에 임금을'이란 캠페인을 벌여

온 여성운동가이자 정치철학자이다. 1942년 이탈리아 태생인 페데리치는 『혁명의 영점』의 서문에서 여성운동을 벌이던 초창기에는 초점을 가사 노동을 '거부'하는 데 두었다가 점점 가사 노동의 '가치를 인정'하는 쪽으로 옮겨 갔다고 말한다. 전쟁을 겪으며 독립적으로 일해본 경험이 있었던 어머니 세대의 영향을 받아 여성이 가사 노동의 전담자라는 사실을 받아들이지 않고 거부하는 태도를 가졌다가, 여성의 지위 향상을 위해서는 우선 가사 노동의 가치를 인정하고 위상을 높여야겠다는 쪽으로 전환한 것이다.

페데리치에 따르면 자본주의 체제의 근간을 이루는 것은 가사 노동이고, 자본주의를 떠받치는 사람은 노동자가 아니라 주부이다. 자본주의는 자연 자원에 사람의 손길을 가해 상품을 만들어 이윤을 내는 과정을 기본으로 삼는다. 이윤을 많이 내기 위해서 자본가는 자연 자원과 사람의 손길에 들이는 자금을 최소한으로 만들려 애쓰게 된다. 자연 자원에 들어가는 돈은 일정한 범위 이상으로는 삭감할 수 없으니 가급적 사람의 손길, 즉 노동자에게 주는 임금을 최소화하려고 노심초사하는데, 그렇다고 해서 노동자가 제대로 못 먹고 못 입어서 건강에 이상이 생길 정도로는 줄 수 없는 바, 결국엔 노동자가 자신의 심신을 어느 정도 수준으로 유지하고 아침마다 어제 아침과 같은 수준의 건강과 정신력으로 출근할 수 있도록 생계비를 살짝 웃도는 수준의 임금을 주게 된다. 우리가 연초면 접하는 임금 상승에 대한 기사에서 '물가 인상'이라는 용어가 자주 등장하는 것은 이 때문이다. 먹고사는 데 필요한 물품 값에 들이는 돈 이상의 돈을 주어야 노동자가 노동력을 보유한 제 육신을 멀쩡하게 유지할 테니 물가 인상 폭만큼 임금을 인상해주는 것이다.

그런데 자본가가 주는 임금을 산정할 때 고려하는 사항은 모두 노동자의 노동력을 유지하는 데 필요한 '물품'에 관한 사항들뿐이다. 그 물품을 시장에서 사 오고, 물품이 식재료일 경우 집에서 씻어서 다듬고 조리하고 밥상을 차려내고 다 먹은 밥상을 치우고 설거지하고, 물품이 옷일 경우 빨래하고 널고 개고 다림질하는 노동력, 즉 노동자를 매일매일 일정 수준의 건강 상태로 재생산하는 손길에 대해서는 고려하지도, 그에 대한 대가를 지불하지도 않는다. 누군가가 그 노동자를 위해 '당연히' 요리하고 빨래하고 집 안을 청소할 것이라 가정하고, 그 누군가가 손에 들고 가공할 물품에만 대가를 지불하는 것이다. 여기서 그 누군가는 '주부'이다. 노동자에게 아내가 있을 거라 가정하고 노동자를 재생산하는 데 드는 가장 큰 비용을 아내에게 전가함으로써 자본가는 엄청난 이득을 취한다.

　그러나 이러한 사실은 사람들에게 인식되지도, 문제로 떠오르지도 않는다. 여성은 집안일, 즉 가사 노동을 하는 것이 자연스럽고 당연하다는 통념이 사회에 굳건히 형성되어 있기 때문이다. 사회가 여성에게 결혼과 출산과 육아를 강렬하고 끈질기고 일관되게 권하는 것은 이러한 맥락에서 보면 명쾌하게 이해된다. 자본주의 체제가 유지되기 위해서는 일정한 폭의 이윤이 유지되어야 하고, 이윤 유지를 위해서는 노동자에게 저임금을 주어야 하며, 노동자에게 저임금을 주면서도 노동자가 건강한 심신을 유지하도록 하기 위해서는 누군가 노동자를 재생산하는 일을 공짜로 해주어야 한다. 그러므로 세상에 아내라 불리는 '주부'가 없다면, 자본주의는 일거에 무너질 것이다. 주부가 남편인 노동자에게 해주던 온갖 종류의 무상 재생산 서비스가 사라지면 노동자는 그 모든 서비스를 돈을 주고 구매해야 할 테고, 그런 상황은 필연적으로 임금 인상이라는 결과를 낳을 테니. 그렇게 되면 자본이 어떻게 이윤을 취할 수 있겠는가. 그러니 자본주의라는 거대한 마차가 굴러가게 하는 것은 '노동자'가 아니라 노동자를 무상으로 재생산해주는 '주부'이다.

　주부가 사회적으로 낮은 지위를 점하는 이유는 이런 원리 때문이다. 자신이 하는 일을 '일'로 취급받지 못하고, 하는 일의 대가를 지불받지 못하기에 사회에서 어떠한 자리도 차지하지 못하고, 목소리를 내지 못한다. 이러한 상황을 타개하기 위해서는 가사 노동을 하는 이에게 임금을 지불해야 한다는 것이, 『혁명의 영점』의 저자 실비아 페데리치의 주장이다.

우리는 자본이 우리의 노동을 보이지 않게 만드는 데 대단히 성공했다는 사실을 인정할 수밖에 없다. 자본은 여성을 희생하여 진정한 결작을 만들어냈다. 가사 노동에 대한 임금 지불을 거부하고 가사 노동을 사랑의 행위로 바꿔놓음으로써 일거다득의 성과를 거둔 것이다. 먼저 터무니없이 많은 양의 노동을 거의 공짜로 획득했고, 여성들이 이에 거부하는 투쟁을 일으키기는커녕 인생 최고의 일로 가사 노동을 추구하게 만든 것이다. 동시에 자본은 여성이 남성 노동자의 노동과 임금에 의존하게 만듦으로써 남성 노동자 역시 통제했다.[16]

가사 노동을 노동이 아닌 여성의 '천성'으로 만들면 가사 노동을 하는 이에게 돈을 지불할 필요가 없어지고, 자신을 위해 수많은 종류의 가사 노동을 하면서도 돈은 한 푼도 받지 못하는 존재를 곁에 둔 남성 노동자는 그 존재를 먹여 살려야 한다는 부담감 때문에 아무리 적은 임금을 받아도, 아무리 심한 인격적 모독을 받아도 회사를 그만두지 못한다. 그러니 가족이라는 제도는 자본주의 체제의 유지에 얼마나 신박하고 기특한 존재인가! 가족과 그에 따른 성별 분업 제도는 남녀를 각기 다른 영역에 배치하고 그에서 절대로 벗어나지 못하게 만드는 참으로 영리하고 충실한 제도이다.

가사 노동에 임금을 부여하면 사회에 대대적 변화가 일어날 것이다. 일단 여성이 집에서 하는 일을 '노동'이라고 말할 수 있게 된다. 그러면 주부인 여성이 '집에서 논다'는 말을 듣지 않게 되고, 매일 수십 가지의 노동을 하면서도 금전적 보상을 받지 못해 영원히 사회적 약자로 머무는 상태에서도 벗어난다. 여성이 살림을 하고 아이를 키우는 데 대해 금전적으로 보상을 받으면 아이를 키우기 위해 드는 돈을 국가가 보조해준다는 개념의 '복지 제도'가 직접적으로 실현된다. 그렇게 되면 앞서 예로 들었듯 아이를 키우는 저소득층 엄마가 국가에서 보조금을 받는다는 이유로 세금을 축낸다고 (로이 F. 바우마이스터 같은 남성학자에게) 욕을 먹는 일은 애초부터 불가능해진다.

작가가 제시했던 여러 변화 중 가장 인상적이었던 것은 가사 노동을 '사랑에서 나오는 행위'가 아닌 '노동'으로 탈바꿈시킴으로써 우리가 "애정을 주고받고 싶은 욕구를 우리의 의사에 반하여 의무적인 노동으로 전락시키는 협박"에서 벗어나게 된다는 부분이었다. 여성이 육아와 살림을 힘들고 고된 일로 받아들이는 것은 그것이 강제로 할당되기 때문이 아닐까. 아이를 키우는 일과 가사는 일 자체로만 놓고 보면 굉장한 가치가 있다. 아이를 안을 때, 아이를 씻겨주고 아이가 먹을 음식을 만들 때, 사람은 가슴이 뿌듯해지면서 살아 있다는 느낌을 받는다. 문제는 이런 일들이 '의무'로서 강제 투하된다는 데 있다. 희생의 종류와 분량이 정해져 있고, 그 정도의 희생을 하는 것은 여성이 생득적으로 갖는 본성과 일치하는 것이라고 외부에서 강제하는 순간, 육아와 살림이 본디 지닌 생생한 생명력의 아우라가 사라져버린다. 뭐든지 자의가 아닌 타의에서 출발하면 그 빛과 추동력이 사라지기 마련 아닌가.

가사 노동을 여성이 천성에 의해 행하는 자연스러운 행위가 아니라 '노동'이라 칭하고 대가를 지불하게 되면 여성은 본심에서 우러나오는 애정을 표현하고 만끽할 수 있게 될 것이다. 또한 가사 노동이 대가를 받고 하는 제대로 된 '일'이 되면 남성들도 훨씬 더 적극적으로 이 분야에 진출하게 될 것이다. 아이를 돌보고 살림을 하고 싶지만 그 일을 하면 자신의 가치가 떨어지는 듯해서 남몰래 하거나, 아예 하지 않으면서 뜨뜻미지근한 죄책감을 안고 살아가는 남성들이 세상에 얼마나 많은가. 가사 노동의 임금노동화는 여성과 남성 모두에게 변화와 발전의 기회로 작동할 것이다.

독서 초반에는 가사 노동에 임금을 지불한다는 개념에 거부감을 느꼈다. 아이와 남편을 위해 한 가사에 돈을 받는다고? 소소한 집안일에 돈을 청구한다는 개념이 낯설고 민망했다. 대체 누구에게 청구해야 한단 말인가? 실비아 페데리치는 이를 국가가 해결해야 한다고 말한다. 여성의 그림자 노동을 통해 큰 폭의 이익을 본 것은 자본과 국가이므로 국가가 자본이 거둔 폭리의 일정 부분을 거두어들여 가사 노동에 임금을 지불해야 한다는 논리다. 자급자족 혹은 교환경제 사회에서 살던 시민들을 강제적으로 자본주의 체제에 편입시켜 임금노동자로 만들어버린 것도 국가요, 그 과정에서 공동체 단위로 이루어지던 재생산 노동이 산산조각 나게 만든 것도 국가이며, 재생산 노동이 온전히 개별 여성의 어깨에만 얹히도록 만든 것도 국가이니, 이제는 국가가 나서서 재생산 노동을 재조직해야 한다.

가사 노동에 대한 임금 지불 방식은 여러 형태가 있을 수 있으며, 그중 일부는 현실에서 이미 실현되고 있다. 일정 기간 동안 함께 살던 부부가 이혼하는 경우 가사 노동을 전담했던 이가 재산의 절반을 가져갈 권리를 갖는다거나, 노동자가 퇴직 후 받는 연금에 노동자의 아내가 청구권을 갖도록 법적으로 보장하는 것은 가사 노동에 임금을 부여하는 간접적인 방식이다. 페데리치는 그 외에도 여러 방안을 제시한다. 아이를 동반한 이가 대중교통을 이용할 때 요금을 면제받도록 한다거나 공공시설의 입장료를 할인받는 방식 또는 국가 삼림의 일정 면적을 공유재로 만들어 마을의 가사 노동자들이 그 공간을 통해 소소한 수입을 올릴 수 있도록 하는 등의 방안이다. 그리고 이런 방안들은 현대에 복지 선진국이라 불리는 국가들에서 상당 부분 실행되고 있다. 복지가 잘된 국가일수록 출산율이 높은 것은 이 때문이다. 복지 혜택은 대부분 어린이와 노약자 또는 다른 사회적 약자에게 돌아가는데, 그 혜택이 잘 갖추어졌다는 것은 사회적 약자에 대한 책임을 국가가 지겠다는 의지의 표현이기 때문이다. 복지 제도가 빈약한 나라에서 약자에 대한 돌봄과 가사 노동이 대부분 여성들의 어깨에 지워진다는 사실을 생각해보면 결국 복지 제도는 여성의 무보수 노동에 가치를 부여하는 또 다른 방식이라는 결론에 이른다.

페데리치가 바라보는 최종 지점은 자본주의 체제를 극복하고 비자본주의적인 체제를 만들어내는 데 있을 것이다. 삶에 필요한 모든 것을 돈을 주어야만 얻는 세상에서, 돈으로 환산되지 않은 마지막 보루처럼 기능하는 여성의 무보수 노동을 임금노동으로 바꾸자고 외치는 것은 반자본주의 운동가이기도 한 그의 신념에 배치되는 전략일지도 모른다. 하지만 페데리치는 알고 있다. 사회변혁을 추동하는 사람은 때론 자신이 설정한 최종 목표와 색깔과 맞지 않을지라도 현실을 고려해 전격적으로 타협해야 하는 순간이 있다는 것을. 자본주의를 극복하기 위해서는 일단 자본주의 체제하 이등 시민인 여성을 일등 시민으로 만들어야 한다는 것을. 그것은 세계시민주의를 꿈꾸던 일제 치하 식민지 조선인들이 제국주의자들의 잔혹한 통치에 신음하는 대다수 국민들을 위해 우선은 민족국가를 설립해야겠다고 결심하고, 본인들이 꿈꾸는 이상에 정면으로 배치되는 민족주의를 채택했던 것과 같은 맥락일 것이다. 이상과 현실이 부딪혔을 때 현실에서 실현 가능한 전략으로 선회하는 운동가의 발 빠르고 영민한 움직임을 지켜보는 것은 뿌듯하고 충만한 경험이었고, 실제 삶에서 내가 혹시 '입바른 소리'만 하고 현실에서의 실현 가능성에 대해서 눈감고 있는 것은 아닌지 돌아보게 하는 롤 모델이 되어

주었다.

결혼해 아이 엄마가 된 뒤로, 종종 낯선 초대가 들어왔다. ○○들을 위한 반찬 만들기 봉사 활동에 나오라든가, ○○기관에 보내기 위해 김장을 담글 예정인데 와서 손을 보태라는 제안들이. 누군가의 엄마가 되기 전에는 한 번도 받아보지 못했던 초대였다. 상황이 될 때는 응하기도 하고 그렇지 않을 때는 거절하기도 했는데, 유사한 경우를 반복적으로 겪으면서 그런 초대에 내포된 일종의 패턴을 파악하게 됐다. 내가 권유받았던 행사들은 (1) 무보수이거나 혹은 드물게 최저임금의 5분의 1에도 못 미치는 교통비를 지급했고, (2) 참가자 전원이 '엄마'들이었다. 권하는 이의 태도에도 흥미롭고 일관된 경향이 있었는데, 그들은 내가 (1) 반찬 만들기와 김치 담그기에 몹시 통달했으리라 가정했고, (2) 기꺼이 달려와 그 자리에 참석할 거라 생각했다. 무보수로 시간과 노동력을 투하하기를 요청하는 사람치고는 너무 자연스럽고 당당하게 나와서, 거절하는 경우엔 늘 요청하는 쪽보다 내 쪽에 찜찜한 감정이 남았다. 그러나 그런 요청을 한 상대방에 대한 원망이나 분노의 감정은 일지 않았다. 상대는 그런 자리를 밥 먹듯 참가해서 기꺼이 노동력을 제공하는 사람이었고, 그의 상식에서는 '누군가의 엄마로 불리는 사람이라면 당연히 자기처럼 생각하고 무보수로 기꺼이 그 일을 하려 들 것'이라 가정했을 터이기 때문이다.

그런 행사들은 주로 학교, 종교 기관, 시민 단체 등에서 주관했다. 학교는 녹색 어머니회, 학부모회, 운영 위원회 등의 단체를 꾸려 공식적으로 사람을 동원했고, 종교 기관은 자모회, 제대 봉사단 같은 단체를 만들어 종교적 의례에 도우미로 활동할 사람들을 모집했다. 이러한 단체에 동원되는 사람은 대부분 누군가의 '엄마'로 불리는 여성이었는데, 현장에서 직접 일하거나 도우미로 활약할 뿐 의사 결정 과정에 참여하거나 행사를 기획하는 일에서는 대부분 제외되었다. 부부가 나란히 기관에 함께 참석하고 활동해도, 이런 행사에 대한 초대는 두 아이의 엄마인 내게만 줄기차게 들어오고 두 아이의 아빠인 남편에게는 좀처럼 들어오지 않았다. 나의 남편은 음식도 나보다 잘 만들고, 휴머니즘의 최저선이 나보다 월등히 높으며, 누군가에게 무상으로 베푸는 것을 (돈이든 노동력이든) 나보다 훨씬 더 좋아하는 성정이었으나, 그에게는 누구도 초대장을 내밀지 않았다. 반복되는 이런 초대들을 거치면서 나는 우리 사회의 작동 원리를 슬그머니 알게 되었는데, 그것은 공공성을 띤 수많은 기관들의 업무 상당 부분이 기혼 (유자녀) 여성의 무보수 노동에 기대어 돌아가고 있다는 점이었다.

보수를 받지 않으면서 '사랑'의 이름으로 행해진다는 면에서, 없어서는 안 될 일상의 노동을 행하지만 중요한 순간에 대표성을 띠거나 결정권을 행사할 수 없다는 면에서, 공공 기관이 기댄 기혼 여성의 무보수 노동은 각 가정에서 주부들이 행하는 가사 노동과 놀라울 정도로 닮아 있었다. 서로를 거울처럼 반영하는 이 두 양상은 내게 커다란 그림의 퍼즐을 맞추게 해주었는데, 그제야 나는 일상에서 무수히 품어왔던 의문들에 촘촘하게 답을 투여해줄 수 있었다.

그것은 여성이 살아가는 시공간의 정체였다. 그동안엔 여성 대부분이 자본주의 체제에 소속되어 살아가고 있는데 취업 경험이 없는 전업주부만 예외적으로 자본주의와 동떨어져 있다거나, 여성 대부분이 현대 시민의 권리를 잘 누리고 살지만 시집을 중심으로 한 가족 체계에 속할 때만 불합리한 짐을 짊어지게 된다고 생각했는데, 그게 아니었다. 인류가 전자본주의 체제(자급자족, 물물교환, 길드 체제, 상부상조, 신분 사회 등등)에서 자본주의 체제로 옮겨 올 때, 여성이라는 종족은 함께 옮겨 오지 않고 남겨졌다. 자본주의는 큰 폭의 이윤을 내기 위해 노동자라는 새로운 지위를 만들어내고 저임금으로 부리면서, 그 노동자를 무상으로 보필할 대상으로 여성을 지정했고, 그 역할을 여성이 받아들이도록 하기 위해서는 여성이라는 종족 전체를 자본주의 이전의 시공간에 남겨두어야 했다. 사람 위에 사람 있고 사람 밑에 사람 있다는 개념이 뚜렷하고, 일에 대한 보상을 화폐로 환산해서 받지 않으며, 감정 표출과 솔직함이 살아 있던 시대의 공간에. 그래서 여성은 남성의 밑에 있고, 하는 일에 대한 화폐 형태의 보상을 받지 않으며, 애정과 슬픔을 표현하는 존재로 남았다. 감성과 배려로 노동에 지친 남성을 감싸 안는 존재로. 그렇다고 여성이 완전히 전자본주의적 시대에서 사는 것도 아니었다. 여성은 남성 노동자의 주변에 머물면서 가끔씩 자본주의의 시공간으로 편입해 남성보다 더한 저임금노동자로 기능하거나, 아주 드물게는 뛰어난 노동자가 되어 고임금을 받았다. 그러나 임금노동자에 속했던 시간이 지나가면 재빨리 비자본주의적인 세상으로 추방되었다.

여성은 회사라는 자본주의의 핵심부에 몸담을 때는 현대적인 (자본주의적인) 권리들을 누리는 듯하지만 회사 문을 열고 나오는 순간 빛의 속도로 전자본주의적 시공간으로 빨려 들어간다. 확실한 소속과 수입이 보장되지 않는 내게 무보수 노동에 대한 권유가 끊임없이 들어왔던 것이나, 그 권유를 받아들이지 않앗을 때 스멀스멀 죄책감을 느꼈던 것, 회사를 그만둔 선배가 자신의 퇴사 사실을 공식적으로 알리지 못했던 것은 이런 전제에서 보면 모두 아귀가 맞아떨어진다. 그리고 이런 예시들은 남성이라는 종족에게는 절대로 일어나지 않는다. 하여 남성 종족에 속한 이들은 회사를 그만둔 사실을 극구 감추려 드는 아내를 이해하지 못하고 이렇게 말한다. "뭘 그렇게까지 해?" 그러나 여성에게 회사라는 강력한 보호막이 사라지는 것은 일종의 우주 이동과 같은 사건이다. 내 시간, 내 노동력, 내 의지가 일거에 타인에게 귀속되는 중세적 상황에 휘말리게 되는데 어떻게 그 일을 심각하게 받아들이지 않을 수 있겠는가?

페데리치라는 걸출한 인물의 저작과 만나는 시간은 여성인 내가 속한 시공간의 정체를 하나하나 파헤쳐가는 감칠맛 나는 시간이었다. 내가 자본주의 체제의 시민이 아니었다는 사실을, 전자본주의적 세상과 자본주의적 세상의 경계선에서 끊임없이 소환되고 돌아오길 반복하고 있다는 사실을, 『혁명의 영점』을 통해 비로소 알게 되었다.

가사 노동이라는 일상의 구체적 활동에 방점을 두고 30년 동안 끈질기게 이론을 정립해온 작가의 논리를 따라가다 보면 그가 왜 책의 서문에서 자신이 원래 가사 노동을 '거부'하는 쪽이었다가 가사 노동의 '가치를 높이는' 쪽으로 운동의 방향을 전환했다고 밝혔는지 이해하게 된다. 기존 여성운동이 그래왔던 것처럼 여성에게 '당장 집 밖으로 나가서 취업을 하라'고 외치거나 '육아와 살림에 종속되지 말고 가부장제를 박차고 나오라'고 말하는 것은 지구상 수많은 평범한 여성들을 여성운동에서 소외시키는 결과로 이어진다. 여성들은 가정의 마지막 수호자로 강제 임명되어 아이들 양육과 살림이라는 거대한 짐을 짊어지고 허덕이지만, 그 짐을 차마 벗어버리지 못한다. 사회로 나가고 싶은 욕구나 자신을 실현하고 싶다는 생각이 없어서가 아니라, 지구상 남은 마지막 공동체인 가족을 버리고 떠나면 어떠한 공동체에도 속하지 못하고 혼자 덩그렇게 남을 아이들에 대한 휴머니즘을 버리지 못하는 것이다. 그 어떤 이론이, 그 어떤 당위가, 아이들을 무주공산의 자본주의사회에 남겨두고 떠나는 데 대한 면죄부가 되겠는가.

가사 노동에 임금을 부여하자는 페데리치의 주장은 소수 엘리트 여성들처럼 수입과 명성을 갖추지 못한 대다수 평범한 여성들의 삶을 끌어안자는 말과 다름없다. 가사 노동의 대가로 받는 임금은 단순한 '돈'이 아니다. '돈 몇 푼을 받기 위해 나보고 가사 노동자임을 인정하라고?'라고 응수하는 행위는 차마 휴머니즘의 최저선을 뚫고 내려가지 못해 그 자리를 지키는 수많은 여성들의 삶을 외면하는 것과 다름없다. 그 돈을 벌 수 없어서가 아니라, 전체 여성이 하고 있는 일을 '일'이라고 명명하기 위해, 가사 노동에 임금을 부여해야 한다.

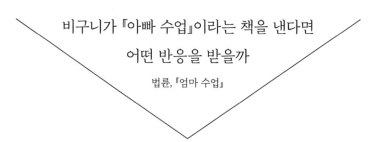

비구니가 『아빠 수업』이라는 책을 낸다면
어떤 반응을 받을까

법륜, 『엄마 수업』

법륜의 『엄마 수업』을 밑줄 쳐가면서 읽던 때가 있었다. 한 아이의 엄마에서 두 아이의 엄마로 변모했던 때, 또 하나의 생명이 내게로 와 전 존재를 의탁하게 되었다는 사실에 대한 환희와 부담으로 하루에도 열두 번씩 웃고 울던 시절이었다. 출장이 잦은 남편이 집을 비울 때면 혼자서 아이 둘을 돌봐야 했고, 아이들이 아프기라도 하면 불안감과 두려움으로 안절부절못했다. 그런 내겐 무언가가 필요했다. 안정감과 확신을 줄 무언가. 괜찮다고 말해줄 누군가. 『엄마 수업』은 그 시기에 내가 매달렸던 육아서였다. 내가 『엄마 수업』에서 그리는 엄마상과 너무나 동떨어졌기에, 더더욱 이 책이 필요하다 싶었다. 나는 너무나 나쁜 엄마였구나! 이 책에서 말하는 대로 개과천선하리라. 좋은 엄마로 환골탈태하리라. 그런 결심은 채 24시간도 지나지 않아 번번이 무너졌지만, 나는 포기하지 않았다. 노력하다 보면 언젠가는 나아지지 않겠는가? 이웃들의 권고로 『엄마 수업』의 저자가 하는 방송도 들었다. 가끔 너무 비현실적으로 느껴지는 부분도 있었지만, 그렇게 느끼는 내 마음이 비틀린 것이라 생각하고 꾸역꾸역 들었다. 자꾸 들으면 바르지 못한 내 마음이 교정되리란 기대를 품고 스님의 단호한 음성에 귀를 기울였다.

그러던 어느 날, 한계 지점에 봉착했다. 스님의 글과 음성을 읽거나 듣는 동안 자꾸 딴생각에 빠져드는 나를 발견했던 것이다. 스님의 말은 귓전 근처를 맴돌다가 허공으로 흩어져버렸고, 나는 다른 상념에 잠긴 채 방송이 끝난 것도 인식하지 못했다. 결국 나는 스님의 저서와 방송을 끊었다. 동시에 매달 행하던 엄마용 지침서들의 구입도 중단했다.

그로부터 또 몇 년의 세월이 흐른 지금 『엄마 수업』과 다시 만났다. 엄마가 된 순간부터 지금까지의 나를 모두 잊고 오직 아이를 위해 살아가라고 외치는 수많은 육아서 중 이 책을 택한 것은 '스님이 쓴 육아서'이기 때문이었다. 결혼해본 적도, 아이를 낳아본 적도 없으며, 부모로서 아이를 24시간 책임지고 돌보아본 경험이 단 하루도 없는 남성 스님이 어떻게 해서 육아서를 쓰게 되었는지, 또한 그 육아서가 어떻게 해서 엄마들 사이에서 선풍적 인기를 끌게 되었는지를 '자본주의'라는 프리즘을 통해 들여다보고 싶었다.

『엄마 수업』은 메시지가 명확한 책이다. 요약하자면 '아이의 모든 것은 엄마에게 달려 있으므로 엄마는 아이를 위해 모든 것을 희생해야 한다. 만일 아이에게 문제가 생기면 무조건 엄마 탓이다' 정도가 될 것이다. 재미있는 것은 엄마의 취업에 관한 부분인데, 작가는 "남편에게는 아내가 필요하고 애들한테는 엄마가 필요하지 직장에 열심히 다니는 돈 버는 사람이 필요한 것은 아니다"라고 말한다. 그럼에도 불구하고 엄마가 직장 생활을 하지 않고 무조건 가정에만 있어야 하는 것은 아니다. 아이의 나이대에 따라 엄마가 집에 있는 것과 없는 것의 효용성이 달라지기 때문이다. 엄마는 아이가 초등학생일 때까지는 집에 머무는 것이 좋고, 아이가 중학생이 되면 직장에 나가는 것이 좋다. 중학생이 되면 아이를 자유롭게 놓아주어야 하는데 엄마가 집에 있으면 자꾸 간섭하고 제재하려 들기 때문이다. 그렇지만 혹여 중학생이 된 아이에게 문제가 생기는 경우엔 다니던 직장을 곧바로 그만두어야 한다. 그러니까 엄마인 여성의 직장 생활 유무는 오롯이 아이의 나이와 상황에 따라 결정되어야 한다. 그 여성이 어떤 일을 하는 사람인지, 아이의 탄생과 함께 일을 그만두었다가 십여 년의 세월이 흐른 뒤 아이의 중학교 입학과 함께 일을 다시 시작하는 것이 가능한지는 처음부터 고려 사항에 포함되지 않는다.

작가는 속세에 몸담지 않은 사람이다. 그러므로 일을 하다가 1년이라도 공백기를 가지면 이전에 일했던 직장과 비슷한 수준의 직장에 취업하기가 하늘의 별 따기라는 현실을 모를 수 있다. 경단녀라는 말을 들어보지 못했거나 혹은 들었어도 크게 관심을 갖지 않았을 수 있다. 하지만 다음과 같은 부분에 이르면 도저히 '속세인이 아니니까 그렇겠지'와 같은 이해심을 발휘할 수가 없어진다.

나이 들도록 결혼 안 하는 아들을 장가보내는 것은 간단합니다. 집에서 내보내면 돼요. 엄마가 밥해주고 빨래해주고 뒤치다꺼리 다 해주니까 아쉬운 게 없어요. 성적인 문제 빼고는 엄마가 다 해주니까 장가갈 필요성을 별로 못 느끼는 겁니다. 현실적으로 얘기하면 무조건 쫓아내는 게 제일이에요. 쫓아낸 후에도 밥을 사 먹든지 이불 빨래를 못해서 지저분하든지

해도 절대로 도와주면 안 돼요. 그러다 보면 결혼에 대한 필요성을 절실히 느끼게 되고, 눈도 조금 낮아집니다.[17]

장가갈 필요를 느끼게 하려면 아들을 집에서 쫓아내라. 그러면 아들이 밥해주고 빨래해줄 사람을 찾아 결혼하게 된다는 메시지다. 이때 집에서 쫓겨난 아들은 밥을 사 먹고 이불 빨래를 못하는 존재로 그려진다. 어떠한 경우에도 남자가 밥을 '직접 해먹거나' 이불 빨래를 '제 손으로 하는' 일은 일어나지 않는 것이다.

그렇다면 딸을 시집가게 하는 방법은 무엇일까.

딸도 스무 살 넘으면 무조건 집에서 쫓아내는 게 제일이에요. 가능하면 돈은 안 주는 것이 좋고, 돈을 주더라도 최소한의 액수만, 그것도 빌려줘야 자립심이 생깁니다.[18]

딸의 경우엔 밥이나 빨래 대신 '돈' 이야기가 나온다. 돈줄을 끊으면 알아서 시집가게 된다는 논리다. 여성이 결혼하는 이유를 남성에게 경제적으로 기대기 위해서라고 간단하게 설정한다.

남성은 밥과 빨래해줄 여성을 구하기 위해 결혼하고 여성은 자신을 부양해줄 돈줄을 댈 남성을 구하기 위해 결혼한다는 작가의 논리를 대하고 있으면 그 단순함과 확고함에 감탄하지 않을 수가 없다. 어쩌면 이렇게도 확고한 성별 분업 논리를 가질 수 있을까. 물론 성별 분업에 대한 고정관념은 동시대 다른 남성 지식인들에게서도 흔하게 발견할 수 있는 특성이다. 하지만 다른 남성 지식인들은 대부분 이런 표현을 에둘러서 하거나, 너무 표 나지 않게 간접적 방법을 택한다. 성차별주의자로 찍힐까 봐 눈치를 보는 측면도 있고, 성인이 되어 사회생활을 거치면서 내면에 가졌던 공고한 성별 분업 관념이 깎여나가 둥글린 측면도 있을 것이다. 그런데 이 작가의 경우엔 그런 게 없다. 여자는 밥 하는 사람, 남자는 돈 벌어 오는 사람이라는 가치관이 너무나 노골적이고 강고하다. 이쯤 되면 궁금하지 않을 도리가 없다. 무엇이. 무엇이 이 작가가 이토록 변치 않는 고정관념을 유지하게 만들었을까? 무엇이 이 작가가 시대에 뒤떨어진 논리를 이토록 당당하게 펼치도록 만들었을까? 불가에 입적하기 전에 이 작가가 접했던 사람들은 어떤 사람들이었을까? 가정 분위기는 어땠을까? 그때 품었던 성별 분업적인 가치관이 불가에 입적한 뒤 변모할 기회를 만나지 못해서, 그러니까 속세에 살면서 돈을 벌기 위해 여러 사람을 접하고, 그 과정에서 현실 속 다양한 여성들과 대면하면서 여성에 대한 비현실적인 고정관념을 서서히 무너뜨릴 기회를 갖지 못했기에 이토록 순도 높은 고정관념을 오늘날까지 굳건히 유지하게 되었을까?

그러나 이분은 그냥 스님이 아니다. 수많은 이들의 멘토이고, 세계적으로 순회강연을 다니는 국제적 명사이다. 부처에게 귀의했지만 속세에서 무료 강연이나 통일 운동 같은 활동도 활발하게 펼친다. 그렇다면 부처의 다른 자식들보다는 훨씬 더 속세를 잘 아는 게 이치 아닐까? 아닌가? 오히려 유명인이기 때문에 평범한 자본주의적 상황에 놓이지 않았고 (=언제나 환호와 존경과 박수를 받는 상황에만 놓였고), 그렇기에 평범한 스님들보다 오히려 더 인식 변화를 경험할 기회를 갖기 힘들었을까?

『엄마 수업』을 비롯한 여러 저작들에서 작가가 주요 대상으로 삼는 것은 여성이다. 보편적이고 추상적인 수준에서 가끔 남성을 대상으로 얘기할 때도 있지만, 잘못 살아가는 누군가에 대한 구체적 예시를 들 때, 그 예시에 대한 해법을 제시할 때는 열에 아홉, 여성을 대상으로 삼는다. 통일이나 불교 교리 관련 저서를 제외한 대부분의 책들, 즉 『엄마 수업』, 『스님의 주례사』, 『인생 수업』과 같은 대중서에서 이런 경향이 두드러진다. 처음엔 작가의 이런 경향이 여성 비하적 사고에서 나온 것이 아닌가 싶었는데, 저작들을 읽어나가면서 차츰 생각이 바뀌었다. 그가 평소 만나는 이들이 여성이라는 데에 생각이 미쳤던 것이다. 스님이 이끄는 정토회나 대중 강연의 주요 참가자들은 여성이다. 이들과 교류하고 이들의 질문에 답하다 보니 자연스럽게 설법의 초점도 그에 맞춰졌을 것이다. 이제 궁금증은 다른 데로 옮아간다. 그렇다면 왜? 왜 스님은 주로 여성들과 접하게 되었을까? 스님을 믿고 따르는 이들은 왜 대부분 여성들이었을까?

소스타인 베블런은 『유한계급론』에서 성직자와 여성을 유한계급을 대리하는 계급이라고 규정했다. 현대판 버전으로 바꾸어 말하면 자본주의라는 판에서 직접적으로 경제활동에 참가하는 이들을 대리한다고 할 수 있을 것이다. 그런 관점으로 보면 스님을 비롯한 신부, 목사 등 종교 기관의 성직자가 주로 여신도와 많은 시간을 보내게 되는 이유를 파악할 수 있다. 자본주의사회에서 자본가나 노동자가 아닌 이들, 그러니까 돈이 돈을 벌도록 하는 순환과정에 직접 참여하지 않는 '대리' 계급은 자본 이윤의 축적 과정이 그려내는 원의 바깥에 서서 그들을 보조하는 역할을 맡는다. 스님이나 목사님이 강론을 하거나 자선 활동을 할 때, 그에 조력할 수 있는 존재는 조직에 매이지 않은 대리 계급, 대표적으로 주부들이다. 그러므로 성직자와 여성이 밀접하게 엮이는 것은 처음부터 구조적으로 정해진 일일지도 모른다. 이를 작가는 어떻게 인식하고 있을까.

> 정토회 자원 봉사자들 가운데 90퍼센트가 여자분들입니다. 특히 가정주부들은 돈을 벌지 않고 살아서 돈을 받지 않는 데 익숙합니다. 그러나 남자들은 늘 돈을 벌고 살았기 때문에 돈 버는 것에 관심이 많고 나이가 일흔이어도 '어디 돈 벌 데 없나' 하는 생각을 많이 합니다.[19]

저자는 자신을 따르는 이들의 대부분이 여성임을, 그중에서도 아이가 있는 주부임을 알고 있다. 얼핏 보면 여성의 너그러운 품성을 높이 평가하고 남성의 계산적인 속성을 낮게 평가하는 듯한 이 부분이, 나는 너무 씁쓸했다. 우리네 주부들은 돈을 받지 않는 데 익숙한가? 돈 같은 건 관심 없고 '좋은 일'을 하는 데만 집중하는 '선량하기 짝이 없는' 사람들인가? 그렇지 않다. 나를 비롯한 주부들은 돈에 관심이 많다. 어쩌면 자본주의 체제에 참가해 제 손으로 돈을 벌어 오는 이들보다 훨씬 더, 시종일관, 큰 관심을 갖고 있다. 사회 곳곳에서 '제 손으로 벌어먹고 사는 사람'이 아니라는 메시지를 받기 때문에 그에 대해 생각하지 않을 도리가 없다. 장을 보고, 생필품을 사고, 평소보다 높은 단가의 상품을 주문할 때, 가슴 저 깊은 곳에서 '돈'을 의식한다. 돈을 벌어 오는 남편의 시선을 의식한다. 자신이 일한 대가를 돈이라는 확실한 증거품과 바꾸어 오는 사람의 시선을.

　주부들이 봉사 활동에 참가하는 것은 기본적으로는 좋은 일을 하겠다는 선의에서 나오는 것일 테지만, 한편으로는 돈을 받고 하는 활동에 참가할 수 없는 환경에 처해 있기 때문이기도 하다. 아이들을 돌봐야 하는 조건 때문에 어딘가에 소속되어 아홉 시에 출근하고 여섯 시에 퇴근하는 생활을 할 수는 없고, 그래도 가정이 아닌 다른 곳에 가서 의미 있는 활동을 하면서 견문을 넓히고 싶은 마음은 있는 상황에서, 결국 선택지는 너무 많은 시간을 할애하지 않아도 되는 봉사 활동이나 종교 활동밖에 남지 않는 것이다. "돈을 벌지 않고 살아서 돈을 받지 않는 데 익숙"하다는 명쾌한 말에는 이런 상황에 대한 고뇌가 없다. 주부들의 생활 깊숙이 도사린 '자본주의사회에서 제 손으로 돈을 벌지 못하는 이가 느끼게 되는 설움'에 대한 성찰적 시선이 없다. 또한 그 말은 그가 저서와 강연에서 줄기차게 말하는 '엄마가 된 여성은 일보다는 남편과 아이를 우선순위에 두어야 한다'는 주장과 또렷한 인과관계를 이룬다. 남편과 아이를 우선순위에 놓은 기혼 여성이 제 손으로 돈을 벌 기회를 잃고, 그런 상태에서 취미 활동과 봉사 활동이라는 한정된 선택지만을 갖게 되는 것은 당연한 결과가 아니겠는가. 스님의 입장에서는 무보수로 자신을 도와주니 기특하다 싶겠지만, 그것은 '여성은 대가를 바라지 않고 남성은 대가를 바란다. 그러므로 여성들은 천성이 참 선량하다' 정도로 간단하게 정리하고 넘어갈 문제가 아니다. 이 대목을 곱씹다 보면 왜 스님의 설법이 주로 주부들을 향하는지, 왜 친근한 꾸짖음의 대상이 늘 여성인지, 왜 남성에게는 거의 말을 걸지 않거나 걸어도 아주 피상적인 수준의 말만 하고 넘어가는지 감을 잡을 수 있다. 그는 자본주의 체제 내에서 온갖 치사한 일을 겪으며 힘겹게 돈을 버는 남성들과 자주 접하지 않고, 그러니 무슨 말을 해야 할지 잘 모르겠고, 더더구나 단호하게 꾸짖는 건 엄두가 나지 않을 것이다.

스님은 자본주의 체제의 작동 방식을 성찰해본 적이 있을까. 자본주의는 나쁘다는 피상적 수준이 아니라, 자본주의가 남성과 여성을 얼마나 교묘하게 갈라놓고 각자 다른 방식으로 길들여 제게 복종하도록 만드는지 심도 있게 들여다본 적이 있을까. 자본주의사회에서 종교가 어떤 역할을 담당하는지, 종교 내부에서 주로 리더 역할을 맡은 자가 남성에 국한되며, 그 남성을 보필하고 종교 내부의 여러 프로그램이 잘 진행되도록 밑에서

궂은일을 도맡아 하는 사람들의 대부분이 여성이라는 사실을 한 발짝 떨어져서 하나의 풍경으로 조망해본 적이 있을까.

이 글을 쓰기 전, 저자가 했던 즉문즉설 형식의 강연 영상을 검색해서 한 편 한 편 시청했다. 고정된 활자가 아닌 살아 움직이는 눈빛과 말투, 제스처를 통해 그를 좀 더 입체적으로 이해하고 싶어서였다. 영상들을 보면서 조금씩, 스님이 주부들에게 폭넓게 지지받는 이유를 알게 되었다. 움직이며 사람들과 말을 주고받는 스님은 글 속에서 만나는 스님과는 조금 다른 사람이었다. 영상을 볼수록 내 안에서 스님에 대한 호감도가 상승했는데, 그것은 스님이 주부라 불리는 일군의 사람들을 대하는 태도 때문이었다. 스님은 지루하게 느껴질 수도 있는 천편일률적인 이야기들(아이 교육, 남편이나 시가와의 갈등이 주를 이루는) 하나하나에 귀 기울이고, 그에 대해 질문으로 응수했다. 연속 질문을 통해 질문자 스스로 자신의 목소리에 귀 기울이게 만드는 것이다. 그 질문들이 이끌고 가는 방향성에 있어서는, 내 기준에서는 너무나 성별 분업적이고 구시대적이라 동의할 수 없었지만, 방청객의 질문에 답하고 상대가 자신의 진짜 생각과 만날 수 있도록 이끌어가는 태도와 성의 면에서는 타의 추종을 불허했다. 어디에 가서도 자신의 말에 온전히 귀 기울여주는 사람을 만나기 힘든 주부들에게, 그것은 값진 경험이었으리라. 이름난 저명인사가 자신의 말에 끝까지 귀 기울여준다는 것, 진심으로 마음을 내어 답해준다는 것. 그 소통의 기운이 방청객으로 참가한 여성의 남은 생에 크디큰 자산이 되어주지 않았을까. 중요한 것은 메시지 자체가 아니라 메시지를 건네는 이의 태도라는 사실을 다시 한 번 곱씹는 순간이었다.

법륜 스님은 불교를 일반 대중과 친숙하게 만들고, 빈곤 퇴치 운동, 통일 운동, 환경 운동 등 우리 사회에 꼭 필요한 일에 앞장서는 전천후 종교인이다. 자신의 유명세와 영향력을 좋은 일에 아낌없이 발휘하는 실천형 지식인이기도 하다. 나는 그분을 폄하하거나 깎아내릴 의도가 전혀 없다. 다만 그분이 가진 성별에 관한 고정관념에 의문을 제기하고 싶을 뿐이다. 그분이 설파하는 성별 분업적인 가치관이 부처님이 현대사회에 오신다면 펼치실 만한 설법으로 보이지는 않기에.

21세기는 성 평등이 실현되는 시기처럼 보인다. 여러 분야에서 법적·관습적 변화가 일어나고 있고, 실제로 성큼 앞으로 나아간 분야도 많다. 하지만 육아와 살림이라는 생활 근간을 이루는 분야에서는 아직도 원점에서 벗어나지 못한 채 쳇바퀴를 돌고 있는 듯하다. 지금으로부터 100년의 세월이 흐른 뒤, 우리가 사는 지금 이 시대를 고찰하고 싶은 누군가가 있다면, 그에게 『엄마 수업』이 유용한 참고 자료가 될 수 있지 않을까. 비구니가 쓴 『아빠 수업』이 출간된다 가정해보면, 그 책이 우리 사회에서 어떤 평가를 받게 될지를 잠깐만 상상해보면, 『엄마 수업』이라는 책이 '2000년대 초반 성별 분업에 따른 사회·문화사' 같은 연구 주제의 훌륭한 교본이 되리라는 사실을 능히 짐작할 수 있을 것이다.

비혼 여성과 기혼 여성은 연대할 수 있을까

김하나·황선우, 『여자 둘이 살고 있습니다』

누군가에게 뭔가를 알려주고 싶을 때 취할 수 있는 가장 효과적인 방법은 그와 관련한 구체적 사항을 조목조목 보여주는 것이리라. 광고인 출신의 두 여성이 쓴 『여자 둘이 살고 있습니다』는 이에 대한 훌륭한 예시가 될 만한 책이다. 책은 혼자서 '쿨'하게 잘 살아가던 두 여성이 같이 살게 되면서 일어나는 일들을 다룬 이야기이다. 이렇게 설명하면 외롭던 사람들이 합쳐서 따뜻하게 알콩달콩 잘 살았답니다 하는 유의 동화처럼 느껴질지도 모르겠지만 이 책은 그런 종류가 아니다. 그보다는 완전히 다른 역사를 가지고 살아온 두 성인이 같이 살게 되었을 때 발생하는 다양한 문제와 상황을 가감 없이, 때로는 놀라울 정도로 신랄하게 그려냄으로써 단선적으로 미화된 이야기가 줄 법한 식상함을 현명하게 차단한다. 있었던 일을 사실과 물질을 중심에 두고 차근차근 설명하는 방식을 취하기 때문에 애초부터 핑크빛으로 미화하기가 불가능했을지도 모르겠다. 그리고 그 방식, 예컨대 같이 구하는 집의 가격이 구하는 기간 동안 얼마큼 올라버렸고, 집을 매입하기 위해 각자 얼마씩을 조달하고 대출했으며, 그 과정에서 어떤 갈등과 예기치 못했던 문제가 등장했는지를 꼼꼼히 기술하는 그 스타일이 독자를 확 잡아당겨 끝까지 이끌고 간다. 결혼이라는, 사회가 정해놓은 정석이 아닌 다른 방식을 택한 두 성인 여성의 생활사와 문화사로도 읽힐 이 책이 밝고 부담 없는 에세이처럼 느껴지는 건 딱딱하고 지루할 수도 있었을 일상사 묘사에 유머와 휴머니즘이라는 조미료를 감칠맛 나게 뿌렸기 때문이리라.

여성과 여성이 만나 살림을 꾸려가는 일상을 죽 따라가다 보면 남녀가 만나 결혼해 살아가는 일상이 얼마나 '이상한지'를 자연스럽게 인식하게 된다. 두 동거인은 가끔 상대의 부모님을 집으로 초대해 시간을 같이 보내는데, 상대 부모님은 딸과 같이 사는 동거인을 든든하게 여기며 늘 호의를 베푼다. 고기를 구워주고, 연신 맥주를 부어주며, 딸이 출장을 가는 경우 남은 동거인이 홀로 식사하게 될 것을 염려한다. 그런 호의를 받는 동거인은 상대 부모님께 감사하며 자연스럽게 애정을 갖게 된다. 자기도 모르게 안부를 궁금해하고, 도움을 드릴 일이 없을까 찾아보고, 마음 편하게 사는 이야기를 주고받는다. 상대의 부모님이 내게 이만큼 해주었으니 나도 이만큼 해주어야겠다고 의무감을 느끼거나, 상대 부모님의 돌아가신 조상의 제사상을 내가 도맡아 차려야 한다는 부담을 느끼거나, 적어도 일주일에 한 번은 전화를 드려야겠다는 강박관념에 시달리지 않는다. 시부모와 며느리 혹은 장인 장모와 사위처럼 서로 이렇게 저렇게 대해야 한다고 관계의 성격과 형태가 미리 정해진 사이에서는 실현되기 힘든 일이다.

동일한 성의 두 사람이 티격태격하며 함께 사는 일상을 조율해가는 과정을 지켜보다 보면 결혼이라는 제도가 사랑으로 만난 두 남녀에게서 빼앗아가는 게 무엇인지를 깨닫게 된다. 동성의 두 사람이 꾸려가는 일상과 이성의 결혼한 남녀가 꾸려가는 일상의 가장 큰 차이점은 '자발성에 따른 행동'이었다. 40여 년 동안 다르게 살아온 두 성인이 만났기에 둘은 서로를 이해하지 못하고 때때로 치열한 싸움을 벌이지만, 두 여성은 상대가 왜 그렇게 행동했는지를 사후에 이해하면서 차츰 서로를 이해하고 타협해나간다. 예상치 못한 상황 앞에서 지성과 기지를 발휘해 둘만의 관계 패턴을 만들어나가는 것이다. 이렇게 말하면 별것 아닌 일 같지만, 결혼으로 만나는 이성 간 결합에서는 그게 잘 안 된다. 남편과 아내의 역할뿐만 아니라 양가 집안에 대한 의무와 관계의 양상이 미리 정해져 있기 때문이다. 전통이라 불리는 '어른들' 말씀에 강제로 따르다 보면 새롭게 관계를 맺게 된 이들 사이에 자연스럽게 흘러나오기 마련인 호기심과 관심, 호감이 소멸된다. 모든 게 정해져 있고, 그렇게 하지 않으면 예의가 아니라는데, 어떻게 상대에 대해 궁금해하고 호감을 표할 수 있겠는가. 강제된 관계와 정해진 의무, 그것을 하지 않았을 때 따라오는 박한 평가는 사람을 움츠러들게 만들고, 잔뜩 움츠린 사람은 관계에서 아무런 기쁨도 느끼지 못하게 된다. 결혼한 사람들이 왜 배우자의 가족을 호감보다 부담으로 느끼는지, 왜 결혼으로 맺은 새로운 관계들에 진절머리를 내는지, 그 이유를 이 책은 관계 맺기의 다른 방식을 보여줌으로써 선명하게 알려준다.

동성인 두 사람이 같이 산다고 해서 언제나 이런 합이 나오지는 않을 것이다. 동성인 많은 사람들이 살림을 합쳤다가 금세 갈라서고, 괜히 같이 살아서 오랫동안 쌓아온 우정에 금이 갔다는 푸념을 늘어놓는다. 김하나와 황선우 두 사람이 책으로 낼

218

만큼 멋진 합을 내는 것은 내가 보기에 근본적으로 둘의 경제적 능력에서 기인한다. 두 사람은 모두 종사하는 업계에서 실력 있기로 정평이 나 있고, 그런 경력을 발판으로 다른 분야로 빠르게 활동 범위를 넓혀가고 있다. 전문성을 바탕으로 이곳저곳에서 재능을 십분 발휘하며 사는 이 두 여성은 서울 시내 한복판에 자리한 아파트를 절반씩 부담해 구입할 정도로 자산 혹은 자산 동원 능력이 있고, 다달이 생활비 통장에 동등한 금액을 입금할 수 있을 만큼 수입을 창출한다. 청소와 정리에 능력 있는 사람과 요리에 능력 있는 사람이 각자의 재능을 발휘해 상대에게 기쁨과 놀라움을 주며 '함께 사는 삶'의 기쁨을 누리는 장면은 이러한 경제적 능력이 없었다면 애초부터 가능하지 않았을 것이다. 결혼이 파생하는 의무적인 관계들의 핵심도 기실 그 부분에 있으리라. 남자가 살 집을 마련해 오고 여자가 혼수를 마련해 와야 한다는 (요즘엔 많이 변하고 있지만 여전히 뼈대처럼 작동하는) 불합리한 관행이 결혼 이후의 생활에 어두운 그림자를 드리우고 관계에 줄기차게 생채기를 내는 것이다. 결혼해서 좋은 합을 이루는 사람들이 결혼에 드는 비용을 비슷한 비율로 분담한 경우가 많다는 사실을 보면, 결국 자본주의사회에서 누군가와 조화를 이루고 살기 위해서는 경제적 능력부터 갖추어야 되는 것인지도 모르겠다.

　나와 완전히 다른 방식의 삶을 사는 두 비혼 여성이 쓴 책을 처음부터 끝까지 껄끄럽지 않게 읽어나갈 수 있었던 것은 두 저자의 캐릭터에 내포된 '주부스러움' 때문이었다. 김하나는 정리를 잘하고 쓸데없는 물건을 사들이지 않는 반면 황선우는 집에 물건이 종류별로 마구 쌓여 있는데도 끝없이 물건을 구입하는 스타일이다. 이는 둘 사이 갈등의 핵심 요소이기도 한데, 둘은 이 때문에 첨예하게 부딪히다가, 차츰 서로의 '다름'을 이해하면서 각자 잘하는 것을 미덕으로 발휘하기에 이른다. 이 과정에서 서로의 장점을 슬그머니 제 것으로 체화하기도 한다. 재미있는 것은 그렇게 정리도 안 하고 일 때문에 집에 있는 시간이 많지도 않은 황선우가 요리의 달인이라는 사실이다. 황선우는 몇 가지 재료를 뚝딱거려 따뜻한 먹거리로 만들어내는 일을, 그렇게 해서 함께 사는 이의 위장을 덥혀주고 입가에 만족스러운 미소가 번지는 것을 매우 즐기는 사람이다. 그런 그의 특성은 황선우가 자랐던 환경에서 기인한다.

　엄마에게 음식이란 단지 가족을 위한 희생만이 아니다. 상대에 대한 애정과 관심을 표현하는 방식이자 자신의 능력을 발

휘하는 즐거움이고, 부엌을 관리하고 다스리는 고도의 경영
이자, 무뚝뚝한 자식과 대화하는 매개이기도 하다. 음식을
싸주고 먹이는 대상이 늘어날수록 엄마의 세계도 함께 넓어
져 왔다. 그리고 이제 그 세계에는 나의 동거인도 포함된다.[20]

   황선우는 집안 행사에 친척들이 모이면 엄청나게 장을 봐서
음식을 준비하고, 행사가 끝난 뒤에는 손님들의 손에 고기부터
식혜까지 꽉 채운 아이스박스를 바리바리 들려서 보내는 어머니
밑에서 자랐다. 그런 엄마의 손맛에 과장된 찬사를 보내는 친척
들의 말을 '칭찬으로 사람을 조종하는 빤한 인사치레'라 여기면
서도 황선우는 엄마가 했던 요리와 부단한 가사 노동의 가치를
폄하하지 않는다. 또한 그것이 자신에게로 이어져 자신의 삶을
비춰주는 밝은 빛으로 작동하고 있다는 사실도 안다.
   김하나의 활약도 못지않다. 두 사람이 살림을 합치기 전, 김
하나는 황선우의 집을 방문해 집 안 곳곳에 쌓인 물건들을 정리
해준다. 냉장고를 열면 우수수 떨어지는 식품들을 치웠던 경험
에 대한 김하나의 생동감 넘치는 묘사를 보고 있으면 배를 잡고
웃다가 슬그머니 감동을 받는다. 돈이 되지 않는 일, 누구에게
강제로 부여받지도 않은 일을 상대에 대한 호감과 타고난 근성

으로 끝까지 밀어붙여 해내는 김하나의 뚝심이 없었다면 둘이 살림을 합치는 대사건은 일어나지 않았을지도 모른다. 요는 두 여성이 서로 다른 분야에서 살림을 잘하는 사람들이라는 것, 그리고 서로가 무엇을 잘하고 무엇을 못하는지를 인내심 있게 파악하고 서로 맞추어갈 줄 아는 현명한 사람들이라는 것이다.

내 나이대의 비혼 여성들이 쓴 책을 읽다 보면 가끔 마음이 돌멩이에 쓸리는 것처럼 버석거릴 때가 있다. 이 사회에서 여성이 당하는 부당함을 신랄하게 지적하고, 자신은 그런 부당함을 감수하고 살지 않겠다는 결기를 밝히면서 누군가의 '엄마'로 사는 이들의 삶을 간단하게 비하하는 문구를 만나는 경우이다. 결혼해 아이를 낳은 여성들을 '가부장제의 부역자'라고 칭하거나, 지금이라도 가부장제의 굴레를 박차고 나오라는 식으로 너무나 간단하게 주부의 삶을 폄하하는 걸 보면 얼굴이 홧홧하고 맥박이 빨라진다. '나는 엄마처럼 살지 않겠다'는 말과 같은 맥락에 놓일 이런 말들이 어떤 심정에서 나왔는지 이해하지 못하는 건 아니다. 비혼 여성이 결혼해 아이를 키우고 사는 여성의 삶을 한마디로 쉽게 정리해버리는 것은 이 사회에서 여성이 당하는 부당함에 대한 항거이자, 제대로 대우받지 못하면서도 살림과 육아라는 바위를 끊임없이 밀어 올리는 기혼 여성의 삶에 대한 억울함의 대리 표출일 터이다. 그걸 알면서도, 막상 그런 말과 글을 접하면 뭔가가 확 할퀴고 지나간 듯 가슴에 거친 통증이 인다.

「지은이의 말」에서 언급했던 비혼 여성의 경우도 이와 같은 맥락에서 읽을 수 있을 것이다. 전업주부를 '타인의 자비심에 기댄 사람'이라고 표현했던 그 여성은 법조계에서 일하는 '전문 인력'이었는데, 자신은 확실한 능력을 가졌으며 앞으로 결혼을 하든 안 하든 그런 능력(상당한 액수의 소득을 올리는)을 평생 동안 유지하리라 확신하는 듯했다. 혹은 그렇게 되지 않을까봐 불안한 마음에 되려 확신하는 시늉을 했거나. 어떤 경우였든 그 여성은 자신과 주부로 사는 이들을 근본적으로 다른 부류라고 생각했다.

'왜 바보같이 그러고 사는가? 얼른 나가서 자기 일을 찾지 않고!' 주부로 살다 보면 이렇게 말하는 듯한 비혼 여성들을 종종 만난다. 직간접적으로 이런 메시지를 보내오는 여성들과 대면할 때면 비혼 시절 내 모습을 보는 것 같아 기시감이 들기도 하고, 더 폭넓은 차원에서 현상을 보지 못하는 것 같아 안타깝기도 하다. 그들은 모르는 것이다. 여성이 왜 저임금 또는 무임금으로 노동하게 되는지. 왜 부당하다는 걸 알면서도 그 자리를 떠나지 못하는지.

세상은 기혼이든 비혼이든 여성을 몽땅 다 '주부'로 설정한다. 그런데 현재 비혼이면서 전문직에 있는 여성들 중 일부는 자신이 지금 누리는 임금수준과 직위가 피라미드의 더 높은 층으로 올라가면 더 이상 지속되기 힘들어진다는 사실을 (사회는 언젠가 주부가 될 이들에게 리더 자리를 맡기지 않으므로) 예상하지 못한다. 주부가 아닌 자신이 주부라 불리는 사람들과 어떻게 연결되어 서로에게 영향을 주고받는지를 보지 못한다. 또한 이들은 생각하지 못한다. 타인의 자비심에 기대는 게 정작 누구인지. 돈을 벌지 않는 사람은 무조건 남에게 기대는 존재라 생각하는 이들은 자본주의 너머의 세계를 보지 못한다. 생각의 각도를 조금만 틀면 남성이 밖에 나가서 번듯한 명함을 갖고 돈을 벌며 사는 게 누구 덕분인지, 돈으로 환산받지 못하는 노동을 하며 어린 이를 돌보고, 아픈 이를 보살피는 행위야말로 자비심과 직접적으로 연결되는 행위라는 사실을 알 수 있을 텐데. 그러나 그것은 너무나 경험치 밖의 일이어서, 또한 결혼하지 않았다는 이유로 사회에서 너무나 부당한 대우와 압력을 받고 있는 상황이라, 지평을 넓혀 들여다볼 수가 없을 것이다.

그런데 『여자 둘이 살고 있습니다』의 저자들은 그게 되는 이들이었다. 돈으로 환산되지 않아도, 당장에 성과를 눈앞에 수치로 만들어 보여줄 수 없더라도, 사람에게 중요한 무언가를 불어넣는 노동이 존재한다는 사실을 아는 사람들이었다. 그리고 저자들의 그런 기운이, 자본주의 너머의 영토를 가슴으로 받아들이고 체감하는 통찰력이, 돈으로 환산되지 않는 노동으로 삶의 팔 할을 채우며 사는 나라는 주부를 이 책에 매혹되게 만들었다.

자본주의가 설정한 성별 분업이 갈라놓은 것은 남녀 사이만이 아니다. 여성은 반드시 결혼하고 아이를 낳아야 하며 살림과 육아는 여성이 할 수 있는 최고의 일이라는 정언명령은 그런 명령을 받아들인 여성과 그렇지 않은 여성 사이도 갈라놓는다. 돈으로 환산되는 일만을 가치 있게 받아들이는 자본주의적 시각에 갇힌 한, 비혼 여성은 가정에서 살림과 육아를 도맡는 기혼 여성을 '의존적이고 답답하게 산다' 여기고, 기혼 여성은 비혼 여성을 '이기적이고 자기밖에 모른다'고 비하하게 된다. 체제 유지를 위해 사회는 단일한 여성상, 곧 결혼해 아이를 낳아 기르는 모습을 자꾸만 강조하고, 그 과정에서 그 여성상에 부합하는 이들과 그렇지 않은 이들이 자신이 선 자리를 옹호하면서 결과적으로 서로를 비난하게 되는 것이다. 그러나 조금만 더 깊이 생각해보면, 조금만 시야를 넓혀보면, 여성은 자신이 선 자리의 전체 지형을 조망할 수 있다. 그리고 스스로를 끊임없이 성찰하고 부지런히 앞으로 나아가는 여성은, 기혼의 자리에 서든 비혼의 자리에 서든, 내가 서 있지 않은 자리의 가치와 진가를 알아보고 평가할 안목을 갖추게 된다. 『여자 둘이 살고 있습니다』는 기존 통념을 따르지 않는 이들의 삶을 생생하게 보여주는 대안 문화 제시의 역할을 훌륭하게 해내는 책이지만, 주부인 내게는 이런 관점에서 훨씬 더 의미 있게 다가왔다.

주부들은 왜 제 가족의 안위만 생각할까

서영남, 『민들레 국수집』

서영남의 『민들레 국수집』을 언제 처음 접했는지는 잘 기억이 나지 않는다. 아이들이 지금보다 훨씬 어렸을 때였으니 아마 10년도 더 전이었을 것이다. 책을 손에 쥐었던 동기는 기억한다. 신기하다! 어떻게 사람이 이렇게 살지? 이런 마음이었다. 돈도 안 받고, 나라에서 지원도 안 받으면서, 제 돈으로 노숙자들에게 밥을 지어 먹인다니! 어디선가 그런 내용의 기사를 접한 뒤, 이분이 쓴 책을 한번 읽어봐야겠다고 마음먹었다.

책장을 넘기면서 몇 번씩 눈물을 훔쳤더랬다. 저자가 무료 식사 제공 공간을 마련한 뒤 며칠 동안 밥을 먹지 못했던 이들에게 따뜻한 밥을 대접하는 장면을 읽는데, 눈두덩이 뜨끈하게 덥혀왔다. 굶주렸던 이들이 배불리 먹고 나가는 뒷모습을 보며 뿌듯해하는 저자의 마음에 접속할 때면 내 배가 데워진 듯 포만 감이 들었다. 넓은 품을 가진 누군가에게 안겨서 엉엉 운 것처럼 후련했다. 멋있다! 나도 이 아저씨처럼 살고 싶다! 이렇게 생각 하며 책장을 덮었고, 이후로 가끔씩 이 멋진 아저씨를 떠올렸다. 크고 작은 봉사 활동에 참가할 때면 어김없이 그 아저씨를 생각 했다. 노숙자들을 먹이며 사는 환속한 수사를.

당시 내가 그 아저씨를 멋지게 여겼던 이유를 깨달은 것은 세월이 한참 흐른 뒤였다. 세월과 함께 예전에는 돈을 주지 않고 도 얻었던 물건 혹은 서비스가 반드시 돈을 지불해야만 손에 넣 을 품목으로 바뀌는 일을 거듭해 겪으면서, 내 마음 한구석에서 살고 있는 인천의 전직 수사에 대한 경외심이 점점 높아졌고, 그 제야 나는 그의 '멋짐'을 자본주의와 연결해 생각할 수 있었다.

살면서 우리는 종종 특별한 사람이 되고 싶다고 생각한다. 세상을 뒤덮은 수많은 사람 중에 눈에 띄는 사람이 되어 사람 들의 기억에 남고 싶다고. 호감이 가는 이를 만나면 이런 생각은 강해진다. 너에게 기억되고 싶다. 네 안에 나를 남기고 싶다. 의 식의 표면에 떠올려 인식하지 못할 뿐 우리는 모두 이런 생각을 하면서 매일을 살아가고 있으리라. 그렇다면 누군가에게 잊을 수 없는 사람이 되기 위해, 우리는 무엇을 해야 할까? 『민들레국수집』의 저자 서영남은 이에 대해 매우 간단한 대답을 제공해 준다. "돈이 되지 않는 일을 하라"라는.

　그것은 자본주의라는 노골적이고 확실한 체제가 우리에게 주는 간결한 대안이다. 돈이 모든 행위의 동기가 되는 시대를 사는 우리, 돈 되는 일이 아니면 사람을 모을 수 없는 시대를 사는 우리, 그래서 돈을 매개로 하지 않으면 누구도 만날 수 없는 듯이 느껴지는 시대를 사는 우리는, 실은 눈앞에 보이는 세상의 뒤로 살짝 돌아가기만 하면 엄청난 분량의 여유와 온정을 만날 수 있다. 그러니 누군가를 좋아한다면, 누군가와 특별하게 엮이고 싶다면, 돈이 되지 않는 일을 해주면 된다. 내가 이것을 주면 그 대가로 얼마를 돌려받을까를 생각하지 않고 그냥 주면 된다. 대가를 생각하지 않고 뭔가를 내주는 이는 그것을 받는 이에게 영원한 권세를 얻는다. 우리는 아무 이유 없이 우리에게 뭔가를 주었던 이를 잊지 못한다. 폄하하거나 매도하지 못한다. 그 사람을 늘 생각하고, 무엇으로 보답할 수 있을지 궁리하게 된다. 그리고 무엇으로도, 어떤 방법으로도, 받은 것에 대해 완전히 보답하지 못한다. 먼저 베풀었다는 사실에는 어떠한 답례로도 공략할 수 없는 철통같은 권위가 따라붙는다. 그러므로 관계에서는 먼저 베푸는 이가 승자이다. 아무 이유 없이 베푸는 마음은 이미 받은 뭔가를 계산해 되돌려주려 애쓰는 마음보다 훨씬 더 세련되고 여유롭다. 내가 『민들레 국수집』의 저자가 멋있다고 생각한 것은, 수더분한 옷차림에 앞치마를 두른 채 웃고 있는 반백의 아저씨가 아르마니 슈트를 빼입고 포르셰를 모는 미남보다 훨씬 더 '있어' 보인다고 생각한 것은 이 때문이었다. 그가 지상에서 최고 권력가로 행세 중인 '돈'을 넘어서는 세계를 볼 줄 알고 만들어낼 줄 아는, 급이 다른 사람이기 때문이었다.

그런데 최근에 『민들레 국수집』을 다시 펼쳐 들었을 때는, 좀 다른 생각이 들었다. 왜 나는 이 아저씨처럼 살지 못하는가? 왜 나는 내 가족의 안위만 생각하며 살아가는가? 질투심 밴 의문이 불쑥 올라왔다. 좁디좁은 우물 안에서 버둥거리는 내 모습과 드넓은 평원에서 시원스럽게 활보하는 저자의 삶을 비교하면서 떠올리던 의문은 점점 확장세를 띠었고, 종내 좀 더 넓은 범위의 의문의 물결에 합류했다. 이타적인 삶을 살며 이름을 남기는 이들은 왜 대부분 남성인가? 저와 제 가족이라는 범주를 뛰어넘어 인류 역사에 족적을 남기는 이들 중 여성의 비율은 왜 그렇게 적은가. 원래 남성은 사유의 폭이 넓고 대범해서 그런가? 『소모되는 남자』의 저자가 주장했듯, 여성은 가까운 몇몇과 어

230

울리기를 좋아하고 남성은 큰 폭의 조직을 만들어 활동하기를 좋아해서 그런가?

하는 일의 성격을 생각해봐도 그랬다. 내가 하는 일과 저자가 하는 일은 근본적으로 같은 일이었다. 밥을 지어서 내가 아닌 누군가의 위장을 덥히는 일. 차이가 있다면 그 대상이었다. 나는 나와 내 가족 그리고 가끔씩 가까운 지인들의 위장을 덥혀주는 데 그치는 데 반해 저자는 자신과 일면식도 없는 수많은 타인들의 위장을 덥혀주며 산다는 차이가, 내가 하는 일과 그가 하는 일에 대한 평가를 매우 다르게 만들었다. 생각은 다른 방향으로도 뻗어나가, 백종원이라는 이름난 '음식 전문가'에 이르렀다. 백종원이라는 인물도 따져보면 주부와 같은 일을 하는 사람이 아닌가? 재료를 구해 씻고 다듬어 따뜻하고 좋은 냄새가 나는 먹거리로 바꾸어내는 일을 하는 사람이 아닌가? 다만 그는 자신과 자신의 가족이 아닌 다른 이들에게 제 솜씨의 산물을 제공할 뿐이 아닌가? '돈을 받느냐 아니냐'의 차이가 있을 뿐 서영남과 백종원은 그런 측면에서 동일했다. 주부와 같은 종류의 일을 하지만 주부와 달리 그가 하는 일의 수혜자가 가족을 넘어서는 수많은 타인이라는 점에서.

이제 생각은 나와 서영남과 백종원이 이룬 트라이앵글 사이를 맴돈다. 나와 이 두 남성 사이엔 어떤 차이가 있는가? 나는 왜 나와 내 가족의 밥을 하며 여생을 보내는데 저 두 남성은 멋지게도 수많은 이들에게 밥을 해주어 각기 다른 종류의 (한 명은 신성한 영역의, 한 명은 속세적 영역의) 영광을 누리는가? 음식 만들기와 설거지는 '여성의 일'이라 생각하는 이들은 왜 서영남과 백종원이라는, 남성임에 틀림없는 사람들의 음식 만들기와 설거지는 자연스럽게 받아들이는가? 이름난 셰프의 성별은 왜 열에 아홉이 남성인가? 유명 셰프들이 방송에 나와 펼치는 음식 만들기와 설거지는 왜 성별 분업 운명론을 신봉하는 이들에게 아무런 의구심을 일으키지 못하는가?

내가 이런 의문을 던지는 이유는 서영남과 백종원이라는 인물이 '단지 남성이기 때문에' 그 자리에 도달했다고 폄하하기 위한 것이 아니다. 근본적으로 내가 나와 내 가족의 위장을 덥히는 데만 골몰하고 두 유명인 남성이 훨씬 넓은 범위의 인간의 위장에 행복을 주는 상황은 개개인이 가진 성향과 능력 차이에서 비롯할 것이다. 다만 똑같이 음식 만들기라는 행위를 하는데 왜 여성은 대부분 사적 영역에 머물고 남성은 공적 영역에서 활약하게 되는지 그 맥락을 짚고 싶을 뿐이다. 도대체 왜? 왜 여성은 같은 일을 해도 좁은 범주에 머무르고 남성은 넓은 범주에서

'빛나게' 일하게 되는가?

그에 대한 답은 아마도, 가족 구성원의 안위를 책임지는 역할을 온전히 여성에게 부여한 '사회'의 존재에서 찾아야 하리라. 남편과 자식을 먹이는 책임은 온전히 그 집의 '주부'에게 있다는 공동체의 확고한 지침이 여성을 집 안에 머물게 만들고, 제 가족의 끼니를 챙기는 데 가진 에너지의 대부분을 소비하는 여성은 가정 바깥으로 눈을 돌릴 엄두를 내지 못하게 된다. 『소모되는 남자』의 저자 로이 F. 바우마이스터의 주장처럼 '여성이 가까운 극소수 사람들과만 교류하고 싶어 해서'가 아니라, '여성이 가까운 극소수 사람들의 안위를 떠맡도록 강제되기' 때문인 것이다.

문제는 주부가 사회가 뿜어내는 강력한 메시지에 순응해 테두리 내부의 삶에 충실해도 좋은 평가를 받기가 힘들다는 점이다. 부동산 투기나 사교육 열풍 같은 고질적 문제가 세간의 입길에 오를 때 비난의 포화에 휩싸이는 것은 언제나 '주부'라 불리는 여성들이다. 가족의 안위를 챙기며 손에 물 마를 날 없이 살던 주부는 어느 날 갑자기 '제 가족밖에 모르는 뻔뻔한 아줌마'라는 비난에 직면한다. 사람들은 바깥 활동을 많이 하는 주부를 '바깥으로 나도느라 자기 애들 밥도 안 챙긴다'며 질타하다가도 대치동 학원가 주변 도로를 점령해 교통 체증을 유발하는 차들 이야기가 나오면 '제 새끼 좋은 대학 보내려고 혈안이 된 이기적인 아줌마들'이라고 싸잡아 비난한다. 엄마라면 아이들을 '잘' 교육해 상위권 대학에 들여보낼 의무가 있다고 내심 생각하면서도, 한편으로는 제 새끼만 좋은 대학에 보내려 혈안이 되었다고 질타한다. 이것은 주부라는 존재의 딜레마다. 가족의 안위를 챙기는 일보다 바깥에서 하는 일에 우선순위를 두면 '이기적'이라 비난받지만, 가족의 안위를 챙기는 일에 '너무' 충실하면 그 이유 때문에 또다시 '이기적'이라고 매도당하는 것이다.

나라는 주부가 법륜 스님의 정토회에서 주관하는 봉사 활동에 늦은 저녁 시간까지 참여한다고 가정해보자. 봉사 활동의 주최자인 법륜이라는 남성 스님은 흐뭇하게 나의 '돈을 받지 않고 일하는 데에 익숙한' 이타성을 칭찬할 것이다. 그러나 봉사 활동 때문에 아이들 저녁밥을 늦게 챙겨준 데 대해 나의 주변 사람들은 '제 새끼 밥도 제대로 안 해주면서 무슨 봉사 활동이냐'며 혀를 찰 것이다. 그런가 하면 나와 친분이 전혀 없는 누군가는 나의 종교 기관 봉사 활동 참여를 '집에서 노는 아줌마들끼리 벌이는' 심심풀이 활동쯤으로 생각할 것이다. 똑같은 주부의 행위가 사람들의 입장과 견해에 따라 극과 극의 평가를 받는 것이다. 그러니 결혼해 아이를 낳은 여성이 바깥 활동을 하며 이타적인 삶을 살기란, 그리하여 사람들에게 일말의 존경심을 얻기란, 얼마나 가능성이 희박한 일인가. 시도를 해봤자 여기저기서 질타를 받은 끝에 제자리로 돌아와 쳇바퀴 돌듯 살아가기 십상이리라.

이런 전후 사정을 짚어보면 왜 텔레비전에 나오는 셰프들이 죄다 남성이고, 사람들의 영적 삶을 인도하는 종교인들이 대개 남성인지 자연스럽게 답이 나온다. 여성은 가정 내에서 가족의 의식주를 챙겨야 하기에, 그 의무에 가용할 대부분의 시간을 바쳐야 하기 때문에, 다른 일에 눈을 돌릴 틈이 없다. 가끔 그 틈새를 뚫고 나와 사회에서 자리를 차지하는 주부가 나오기도 하지만, 그것은 지극히 예외적인 일일 뿐이고, 주부 대다수는 이렇게 촘촘히 짜인 그물망 안에서 답답함을 견디며, 무보수 활동에 참가하는 것으로써 신이 인간이라는 피조물에게 기본 스펙으로 내장해준 사회적 참여 욕구를 아쉬운 대로 채우며, 기나긴 생을 건너간다.

그렇다면 여성은 왜 이렇게 가정 내에서만 기능하도록 위치 지어졌을까? 왜 가정 내 일을 소홀히 하지 않는 범위에서만 밖으로 나갈 수 있도록 자리매김되었을까? 그에 대한 답은 대한민국이라는 국가의 복지 정책과 연결되어 있다. 급속한 산업화를 겪던 시기, 한국은 국민에게 일정한 수준의 복지를 제공할 경제적·문화적 수준을 갖추지 못한 상태였다. 인간이라면 탄생과 동시에 부여받아야 할 물질적·사회적 기본권을 국민 모두에게 줄 수 없었던 국가는 복지의 단위를 개개인이 아닌 가족으로 삼음으로써 국가가 해야 할 일을 '가족'에게 떠넘겼다. 우리나라가 유독 가족주의가 심한 것은, '개천에서 난 용'이라는 개념으로 대표되는 가족 단위의 지위 경쟁이 치열하게 펼쳐지는 것은 이런 배경에서 유래했다. 복지 선진국이라 불리는 북유럽 국가들의 복지 정책은 대부분 국가가 개개인에게 직접 부여하는 형태를 띠고 있다. 그러나 우리나라의 복지 정책은 대개 가족을 단위로 하고, 자원의 투입 경로도 가족을 경유해 들어간다. 대한민국이라는 국가에서 가족이 반드시 지켜내야 할 보루처럼 여겨지는 것은 이 때문이고, 생활고를 견디지 못한 이들이 가족 단위로 생을 마감하는 것 즉 자식들을 살해하고 자살하는 것도 이 때문이다. 대한민국이라는 국가 공동체는 전쟁의 폐해를 이겨내고 먹고살 만한 나라로 거듭나려는 과정에서 동원했던 가족 단위 각개 격투 정책을 지금까지 죽 유지하고 있다. 관행에 관성이 붙어 그 모든 것을 당연하게 여기고, 이제는 다른 길이 있다는 사실 자체를 망각하는 단계에 이르렀다. 가족이 모든 문제에 해

결사로 오랫동안 알아서 잘 기능해왔는데 국가가 이제 와서 새삼 새로운 방도를 찾을 이유가 무엇이란 말인가. 우리 사회가 유독 엄마에게 많은 의미와 책임을 부과하는 것은 이러한 내력 때문이다. 여성에게 주부 혹은 엄마라는 이미지가 끈질기게 따라다니는 것도 마찬가지다. 여성에게 가족이라는 보루를 지켜내는 전천후 무급 수문장 역할을 맡겨야 하기에, 어떻게든 여성을 주부 혹은 엄마로 만들어야 하는 것이다.

이때 국가가 설정한 '가족'이란 이성애 기반의 부부와 한 명 내지 두 명의 아이가 있는 '핵가족'이다. 공동체로서 한국 사회가 제공하는 모든 형태의 복지와 이권, 인정과 지지는 대부분 이러한 핵가족에게 돌아간다. 국가가 직접 제공하는 복지 혜택은 말할 것도 없고 회사에서 제공하는 의료 혜택이나 대출 혜택, 대형 기관에서 사람들을 호명할 때 쓰는 호칭과 존칭(어머님, 아버님), 드라마와 영화를 가득 채운 (이성애자끼리의 연애 후 결혼으로 귀결되는) 러브 스토리는 모두 한목소리로 '결혼해 가족을 이루고 아이를 낳아야 한다'는 메시지를 내보낸다. 그렇게 핵가족을 떠받치는 핵심부에, 주부가 존재한다. 주부는 자신이 사회 활동을 하든 하지 않든, 돈이 있든 없든, 나이가 많든 적든, 무조건 가족의 의식주를 보필해야 한다. 그뿐만 아니라 아이들을 정글 같은 자본주의사회에서 유리한 고지를 차지할 수 있도록 '상위권 대학'에 입학시켜야 한다. 자신이 이룬 핵가족뿐 아니라 확대가족들의 의식주와 정신 건강도 돌보아야 하며, 아이가 적당히 큰 뒤에는 가정에서 나와 일자리를 잡고 돈도 벌어야 한다. 주부라 불리는 이들에게 기대되는 수많은 사항들을 짚다 보면 우리 사회가 공동체에서 발생하는 여러 가지 사건 사고에 유난히 '엄마 탓'을 많이 하는 것은 참으로 자연스러운 귀결점이라는 생각이 든다. 인간이 태어나면 마땅히 누려야 할 물질적·정신적 기본권을 보장하는 작업을 사회가 공식적·비공식적으로 엄마라는 한 명의 개인에게 떠넘기는데, 그 많은 일을 수행하는 단 한 명의 담당자인 엄마가 어떻게 추궁당하지 않을 수 있겠는가? 어떻게 비난받지 않을 수 있겠는가?

큰아이가 유치원생이던 시절, 아이 친구 엄마들과 함께 저녁을 먹었던 적이 있다. 네 명의 아이들과 네 명의 엄마들이 한 집에 모여서 밥을 먹었는데, 옹기종기 둘러앉아 화기애애하게 이야기를 나누던 엄마들이 식사가 시작되자 각자 제 아이를 챙기느라 분주하게 움직였다. 공교롭게도 네 명의 아이들 모두 '잘 안 먹는' 아이들이어서 거실과 부엌을 배경으로 아이들은 피하듯 돌아다니고 엄마들은 숟가락을 들고 아이들을 쫓아다니는 진

풍경이 연출되었다. 처음에 나는 밥이 눈앞에 있는데도 한 숟갈도 입에 넣으려 하지 않는 아이에게 억하심정이 들어 '먹든지 말든지 맘대로 해라'라는 마음으로 가만히 앉아 있었다. 그런데 다른 엄마들이 쫓아다니며 아이를 먹이는 걸 보자 나도 내 새끼를 먹여야겠다는 투지가 샘솟아 올랐고, 결국 쫓아다니며 아이 입에 숟가락을 밀어 넣는 대열에 뛰어들었다. 그렇게 서너 숟가락을 먹였을까. 씹지 않는 아이를 향해 "빨리 씹어!"라고 말하고 다음 숟가락에 밥과 반찬을 올리는데, 갑자기 서글퍼지면서 혐오감이 밀려왔다. 각자 제 아이를 먹이겠다고 전투하듯 몸을 놀리는 엄마들의 움직임이, 오직 제 아이에게만 시선을 고정한 채 분주히 몸을 놀리는 사람들 사이에서 질세라 의기를 불태우는 내 모습이, 민망해서 차마 눈뜨고 볼 수가 없었다. 나는 누구인가. 저 아이는 누구인가. 나는 지금 무얼 하고 있는가. 결국 나는 쫓아다니며 먹이기를 중단했고, 그때 느꼈던 씁쓸한 감정은 이후로도 가족들을 먹일 밥상을 차릴 때마다 간간이 출현해 마음을 어지럽혔다.

엄마들은 왜 제 자식만을 챙기게 되는가. 다른 아이들에게 관심과 애정을 보이다가도 결정적인 순간이 오면 모든 신경이 자식에게로 가는 이유는 무엇인가. 그것은 이기심인가, 아니면

포유동물로서 부여받은 자연스러운 본성인가. 어떤 측면에서 보든, 엄마가 제 자식을 우선순위에 놓는 것은 어쩔 수 없는 일일 것이다. 그러나 그 수위와 정도는 속해 있는 사회 분위기에 따라 큰 폭으로 달라지리라. 나는 엄마들이 제 자식의 안위를 지키는 데만 몰두하는 것이 우리 사회에 만연한 정글 자본주의와 일등만 살아남는 분위기, 학벌에 따른 철저한 서열화와 사실상의 계급제도와 깊게 연관되어 있다고 생각한다. 아이의 신체 발달 상황이 또래 평균보다 떨어지거나, 성적이 좋지 않거나, 입시 결과가 좋지 않으면 사람들이 무조건 엄마를 소환하는 분위기가 엄마의 자리에 있는 이들의 시야를 제 자식의 주위로 한정한다. 그러나 이렇게 제 자식의 안위에만 시선을 고정한 채 살아가는 엄마들의 마음은 결코 편하거나 행복하지 않다. 어느 순간이 되면 제 자식만 생각하는 자신이 단순하고 한심하게 느껴져서 견딜 수가 없다. 내가 쫓아다니며 아이에게 밥을 먹이다가 한순간 스스로에게 모멸감을 느꼈던 것처럼.

인간 개개인에 대한 복지가 실현되지 않는 가족 중심주의 사회에서 사는 건 아이에게도 불행이다. 아이의 교육과 미래를 온전히 가족이 책임지고 있는 상황에서, 가족의 수문장 역할을 하는 엄마는 아이를 순수한 마음으로 대할 수 없다. 내가 능력 있는 존재로 만들어내지 않으면 아이가 커서 밥을 굶게 될지도 모르는데, 어떤 엄마가 마음 편히 아이를 대할 수 있겠는가? 복지와 인권이 보장되지 않는 사회에서 살아가는 엄마는 아이를 자신의 성과물처럼 단속하게 된다. 어떻게든 잘 먹여 남들 보기에 괜찮은 신체로 만들어내려 노력하고, 마치 회사의 사장이 직원에게 성과를 다그치듯 성적을 향상시키라고 아이를 몰아붙이게 된다. 이렇게 제 아이를 정글 같은 사회에서 밥벌이할 수 있는 성인으로 만들어내는 데 몰두하다 보면 가족이라는 공동체는 일종의 성곽이 된다. 외부 적군의 침입에 맞서 견고하게 지어진 성곽. 식사도 건강도 공부도 기쁨도 슬픔도 오직 서너 명의 사람들끼리만 공유하는 생활에 갇혀버리는 삶.

끊임없이 새로운 사물과 사람을 만나면서 내면을 환기하지 못하는 사람은 편협하고 정체된 인격을 가진다. 고정관념을 차곡차곡 쌓아 아집으로 굳히고, 내가 하는 방식만이 옳다 믿으며, 접해보지 않은 것은 무조건 '옳지 않은' 것이라 여기게 된다. 이 과정에서 핵가족의 성곽을 수호하는 엄마와 그의 양육 아래 자라는 아이들, 가족 구성원이 소비할 재화를 기를 쓰고 획득해 와야 하는 아빠의 정신세계는 질식 상태에 이른다. 서너 명으로 이루어진 핵가족을 처음이자 마지막 공동체로 설정하는 사회의 함정이 여기에 있다. 문제는 이러한 핵가족의 외부에도 있다. 결혼해 핵가족을 이루지 않은 이들은 자신이 '자연스럽고 당연한' 코스를 거치지 못했다고 느끼고, 그 때문에 사회가 제공하는 혜택을 받지 못하는 것에 억하심정을 갖게 된다.

아이들은 집에 누군가가 놀러오는 것을 좋아한다. 제 또래 친구만이 아니라 형 친구, 동생 친구, 엄마 친구, 아빠 친구 등 가족이 아닌 누군가가 집에 오는 것을 반긴다. 가족이 아닌 외부인과 식사를 하거나 같이 놀 때, 아이들은 평소에 짓지 않던 표정을 짓고 평소에 하지 않던 말을 한다. 전신에 활기가 넘치고 몸짓은 생동감으로 가득 찬다. 꽉 막혀 있던 실내에 창문을 열어 새로운 공기를 들인 것처럼, 외부인이 몰고 온 새로운 기운이 아이를 활기차게 만드는 것이다. 그 모습을 보고 있으면 평소 엄마 아빠, 한 명의 동기간으로 이루어진 군집에서 아이가 얼마나 답답해했는지를 실감하게 된다.

가족이 똘똘 뭉쳐 모든 걸 해결하며 알아서 잘 살아가야 한다는 가족별 생존주의는 이렇게 구성원들의 내면을 병들게 한다. 여성은 가족의 수문장 역할을 하면서 스스로 고립되고, 가족들을 사회로부터 고립시킨다. 사회가 지시하는 대로 역할을 수행하면 할수록 고립은 심화된다. 우리는 서양으로부터 문물을 수입했지만, 정작 서양 문화의 근본에 깔린 개인주의는 들여오지 않았다. 그 결과 서양식 개인주의에서 파생된 개인의 책임을 가족이 대신 지게 되었고, 사람들은 가족을 이루지 않으면 아무것도 이루지 않은 듯한 느낌을 갖고 살아가게 되었다. 이런 상황에서는 가족을 이룬 사람도, 가족을 이루지 않은 사람도 고립되고 불행한 상태에 빠진다. 그리고 그런 병리적 상태의 정점에, 주부라는 존재가 서 있다.

최근 들어, 결혼으로 맺은 가족 관계가 아니어도 2인 이상이 주거를 함께하면 기존 법적 가족에게 허용되던 복지 혜택을 누릴 수 있게 해주는 '시민 결합' 제도에 관한 논의가 활발하게 펼쳐지고 있다. 1인 가구나 동성 친구끼리 같이 사는 가구, 혹은 혈연관계가 아닌 여러 나이대의 사람들이 함께 사는 가구 등 다양한 형태의 가구가 이미 '법적 가족'의 비율을 넘어선 상황에서, 시민 결합 제도의 도입은 지금 당장 시행해도 너무 늦은 게 아닐까 싶을 정도로 시급해 보인다. 이 제도를 시행하면 『여자 둘이 살고 있습니다』의 저자들처럼 동성인 두 사람이 함께 사는 경우, 한 사람이 다른 사람의 법적 보호자 역할을 할 수 있다. 병원에서 보호자로 인정받을 수 있고, 몇십 년 동안 함께 살다가 한 사람이 먼저 사망할 경우 유족연금 혜택을 받을 수도 있다.

성별이 다른 사람과 결혼했을 때만 가능했던 공동체 차원의 복지 혜택을, 개인이 자기 의지로 선택한 다양한 사람과 함께 누리게 되는 것이다. 결혼해 배우자가 된 사람만이 법적인 동반자 혹은 보호자로 인정받는 제도가 아직도 굳건히 유지되는 것은 현실 세계에서 사람들이 이미 전통적 가족제도를 넘어서서 살아가고 있는데 제도가 못 따라오는 대표적 예이며, 우리는 이 분야 즉 '가족' 혹은 '주거'와 관련된 제도의 정비를 통해서야 비로소 이미 전개되고 있는 현실에 적합한 사회적 합의와 규범을 갖추게 될 것이다.

가족이란 핏줄이라는 우연을 매개로 이루어진 공동체이다. 아이 입장에서 보면 가족은 자신의 노력이나 의사와 상관없이 일방적으로 부여받는 거스를 수 없는 절대 조건이다. 혈연을 이유로 누군가는 삶에 필요한 물질적·정서적 재화가 전무한 상태에서 생활하고 누군가는 모든 종류의 재화가 넘쳐나는 상태에서 평생을 살아가는 사회구조는, 인류가 지금까지 이루어온 사회적·문화적 진보를 무색하게 만드는 퇴행적 구조가 아닐까. 가족에게 생존과 교육과 복지를 일괄적으로 책임지게 한다는 것은 사람이라는 존귀한 존재를 우연과 운에 내맡기는 원시적 행태이다. 시민 결합을 인정하는 것은 자연적이고 우연적인 요소보다 인간의 노력과 의지에 힘을 실어주는 진일보한 발걸음이 될 것이다. 이는 가족을 무시하자거나, 가족끼리 살지 못하게 하자는 말이 아니다. 그보다는 가족 구성원들끼리 서로의 인생을 과도하게 부담하게 만드는 제도적 강제를 덜어내어 가족 내부에서 부글거리는 압박감을 덜어내고 가족 외부에 존재하는 이들의 박탈감과 억하심정을 해소하자는 것이다. 시민 결합 제도는 주거와 재화를 분배하는 방식에 다양성을 실어 그러한 과정을 실현해나가는 실효성 있는 방법이 될 것이다.

나는 상상한다. 혈연으로 맺은 인연들과 시민 개개인의 의지로 맺은 인연들이 대등하게 인정받고 다양한 종류의 결합 공동체가 합의와 지지를 나누며 살아가는 사회를. 그런 사회가 되면, 핵가족이라는 두껍고 높은 성곽의 담이 허물어지면, 주부인 나는 조금 더 자유롭게 바깥 활동을 할 수 있을까. 가족이 아닌 이들과 밥과 옷을, 주거와 삶을 더 많이 나누게 될까. 그리하여 서영남이라는 현자와 백종원이라는 유명인을 뉴스에서 접해도 질투심 없이 여유롭게 지켜볼 수 있게 될까. 그런 날이 오기를 바란다. 인간이 인간에게 압박으로 작용하지 않고, 다양한 사람들과 삶을 나누며, 새로운 만남을 통해 자신을 쇄신할 기회를 충분히 가지는 열린사회가 도래하는 날을. 주부인 내가, 서영남 수

사만큼은 못하더라도, 내가 지닌 소소한 재화와 능력을 가족이 아닌 타인을 위해서도 쓰며 살아가는 날을. 내 아이의 위장과 내 아이의 미래뿐 아니라 다른 이들의 위장과 미래를 생각하는 데도 상당한 시간을 들이며 사는 날을.

글을 닫으며

자본주의와 함께 시작된 해묵은 거짓말

나이 지긋한 남성 국회의원이 공항에서 보좌관에게 한마디 말도 없이 제 짐 가방을 밀어버리고 걸어가는 동영상을 본 적이 있다. '노 룩 패스'라 불리며 누리꾼들 사이에 공분을 자아낸 사건이었다. 그런 일을 태연히 해치울 수 있는 이의 정신 상태가 궁금해, 몇 번이고 영상을 돌려봤다.

영상을 보던 당시 나는 음식점에서 혼자 밥을 먹고 있었다. 다시 보기 버튼을 세 번째로 누르던 순간 "식사 나왔습니다"라는 남성의 목소리가 들려왔고, 나는 얼른 화면을 정지시켰다. 눈앞에서 내 밥상을 차려주는 이는 반백의 머리에 검버섯이 잔뜩 덮인 얼굴의 남자였다. 검붉은 피부색과 여기저기 튼 자국, 피곤해 보이는 표정의 남성 어르신이 상을 차려주는 동안 나는 허리를 곧추세운 채 부동자세로 앉아 있었다. 탁탁 소리가 나게 반찬 그릇들을 놓고 돌아서서 가는 어르신의 뒷모습을 보면서야 나는 생각했다. 그릇을 내가 직접 내려놓을 걸 그랬구나!

국이 식기를 기다리며 다시 영상을 틀어서 보는데, 조금 전 있었던 일이 머릿속에서 계속 재생되었다. 상을 차려주던 육십 대 남자. 가만히 앉아 그 남자의 동작을 불편한 마음으로 지켜보던 사십 대 여자. 그 남자에게서 은근히 뿜어져 나오던 적대의 기운. 그랬다. 밥상을 차려주는 그의 손길엔, 싸늘한 표정엔, 분명히 싫은 기색이 역력했다. 아닌가? 괜한 생각인가?

음식점에서 나이 든 남성에게 서빙을 받으면 마음이 불편하다. 당장에 일어서서 "제가 하겠습니다!"라고 외쳐야 할 것 같다. 어디 나이 어린 여자가 버릇없이 나이 든 어르신 앞에서 가만히 앉아 밥상을 받는단 말인가? 제 숨소리까지 인식할 정도로 불편함을 느끼는 이런 현상은 그러나 여성 어르신 앞에서는 좀처럼 일어나지 않는다. 여성 어르신에게 서빙을 받는 경우가 많았음에도 그럴 때 어떤 느낌이었는지 기억이 나지 않는 것을 보면 여성 어르신께 서빙을 받는 상황을 내 몸은 매우 자연스럽게 받아들였던 것 같다.

화면 속에 등장하는 육십 대 남자는 매우 당당하다. 제 짐 가방을 타인에게 통째로 떠맡기는 행위에 어떠한 망설임도 없는 듯, 표정과 동작이 매끈하고 유려하다. 여러 번 돌려 보다가 나는 이 육십 대의 국회의원에게 거의 반할 지경에 이르렀다. 제가 해야 할 일을 남에게 떠밀면서 저토록 당당할 수 있다니, 세상에, 저런 박력남이 또 있을까! 뭘 먹고 뭘 입고 뭘 보고 자라면 저런 사람이 되는 걸까. 남성 어르신의 삼십 초짜리 식탁 세팅 앞에서도 벌벌 떠는 내게는 화면 속 남성의 정신 상태가 너무나 신비하고 놀라웠다. 저 배포 넘치는 영혼이라니! 저런 급의 영혼은 삶의 어느 국면에서도 절대 졸아들지 않으리라!

이 사람은 집에서 밥상을 차리거나 설거지를 해본 적이 있을까? 보좌관에게 제 짐을 밀어버리고 보무당당하게 걸어가는 화면 속 남자를 보며 생각했다. 한 번이라도 음식물 쓰레기를 버리거나, 빨래를 널거나, 걸레질을 해봤을까? 아마도, 해본 적이 없을 것이다. 해봤더라도 공적인 행사에서 누군가에게 보이기 위해서 하거나 아주 드물게, 어쩔 수 없는 상황에서만 해봤으리라. 밥하고 빨래하는 행위를 제 몫이라 생각하고 온전히 맡아 해본 적은 없을 것이다. 그런 적이 있는 사람이라면 타인에게 제 여행 가방을 저렇게 밀어버리는 행동은, 많은 이들에게 질타를 받고도 제가 한 행위에 문제가 있다는 사실을 인식하지 못하는 수준의 사고는, 할 수 없다. 제가 먹을 밥을 직접 만들고, 제가 먹었던 밥그릇을 직접 닦고, 제가 입었던 옷을 직접 빨며 살아온 사람은, 다른 이에게 그런 일을 미루지 못한다. 행여 그런 상황에 처하면 몸이 굳어지면서 안절부절못한다. 제 몸 돌봄을 직접 행해왔던 역사를 간직한 몸이 파렴치한 짓을 하는 걸 허락하지 않는 것이다.

집안일이란 무엇인가. 집안일은 사람의 몸을 살아 숨 쉬는 상태로 유지하게 만드는 여러 종류의 행동을 말한다. 몸의 살과 피가 될 음식을 만드는 행위, 몸을 보호하기 위해 입을 의복을 깨끗이 빨아 너는 행위, 몸이 머무는 공간을 쓸고 닦는 행위 등 몸을 쾌적한 상태로 보존하기 위해 행하는 다양한 활동을 우리는 집안일이라 부른다. 이런 차원에서 보면 집안일이란 말은 이런 활동의 본질을 가리는, 잘못된 용어 같다. 생명 유지 활동 혹은 생명 보존 활동 같은 말이 훨씬 더 본래 의미를 살리는 말이 아닐까.

집안일이라는 용어에 뜬금없이 딴지를 거는 이유는 이 용어로 통칭되는 일들이 가족 중 한 사람의 어깨에만 부여되는 것이 정당화되는 데 이 용어가 적잖은 역할을 하기 때문이다. 우리가 생각하는 '집안일'은 집안일이 아니다. 모여서 함께 사는 이들이 각자 해결해야 할 자신의 생명 유지 활동이다. 본래 각자가 감당해야 할 제 몫의 생명 유지 활동을 이러저러한 이유로 '주부'라 불리는 집안의 한 사람에게 몰아주고 나머지 구성원들은 그렇게 얻은 시간을 다양하게 활용하는 시스템을 우리는 '가족'이라 부른다.

흔히 '남자는 어른이 되어도 아이'라거나 '남편은 우리 집 셋째 아들'이라는 말들을 한다. 나는 남자를 어리다고 평가하는 이런 말들이 대부분 남자가 집안일을 하지 않는 데서 연유한다고 생각한다. 신체 조건과 능력이 받쳐주지 않는 어린 시절을 제외하면, 사람은 제 몸을 제가 건사해야 한다. 고픈 배를 채우기 위해 먹을 음식을 제 손으로 요리하고, 제 몸을 보호해줄 옷을 제 손으로 빨아 너는 것은 성숙한 인간이 제 몸에게 행해야 할 가장 기본적인 도리가 아닐까. 이것을 하지 않는 이들이 유아적 상태에 머무는 것은 지극히 당연한 일이리라. 제 몸을 살게 하는 일을 평생 동안 타인에게 미뤄온 사람이 온전한 성인의 품새를 갖춘다면 그게 더 놀라운 일이 아닐까.

가사를 제 손으로 하지 않는 사람은 온전한 인격체로 존재하기 힘들다. 유력한 남성 정치인이나 지식인, 유명인들이 어딘가가 비고 허세에 전 듯 보이는 것은, 드물게 볼 수 있는 여성 정치인이나 지식인이 왠지 모르게 실속 있어 보이는 것은 이런 측면에서 이유를 찾아야 할 것이다. 물론 요즘에는 이와 반대의 경우도 심심찮게 찾아볼 수 있다. 사회적으로 일정한 위치를 차지한 여성들 중에도 자만심과 허위의식에 빠져 있는 이들이 있으며, 자신의 분야에서 이름을 날리는 남성들 중에도 겸손하고 허세와는 거리가 먼 이들이 있다. 가까이 가 일상을 들여다보면, 이런 특성들이 이들이 집안일을 제 손으로 하는가의 여부와 상당한 상관관계가 있다는 사실을 알게 된다.

밥 짓고 빨래하는 행위는 사람에게 자신이 '몸'임을 알려준다. 자신이 먹지 않으면 울부짖고, 추위에 노출되면 벌벌 떨며 움츠러드는 무력한 동물임을 깨닫게 한다. 자신의 동물성과 한계를 보여주고, 사소한 일상 행위들의 소중함을 일깨워준다. 그 작업을 매일 실천에 옮기는 여성은, 혹은 남성은, 정치인이 되든 유명인이 되든 권위주의의 함정에 쉽게 빠지지 않는다. 땅에 단단히 발을 붙이고 있기 때문이다. 유명세에 취해 제게 명성을 가져다준 고귀한 품성을 순식간에 잃어버리거나 남에게 함부로 훈계하고 명령하려 드는 인사들의 성별이 대부분 남성인 것은 이런 데서 연유한다. 제 몸을 건사하는 데 필요한 노동을 평생 동안 남에게 미뤘던 사람이 어떻게 인간이라는 신비하고 복잡한 종을 이해할 것이며, 제게 기적처럼 날아온 권력과 유명세를 제대로 활용할 수 있겠는가.

자본주의사회에서 생활하기에 남성으로 사는 것이 유리할까, 여성으로 사는 것이 유리할까? 강연에서 던졌던 질문에 어떤 여성분은 이렇게 답했다. "여성이요." 왜 그렇게 생각하느냐 물었더니 "여성은 꼭 돈을 벌지 않아도 되니까요"라는 답이 돌아왔다. 늘 던지는 질문에 그렇게 대답한 분은 처음이라 나는 살짝 놀랐다. 대답한 뒤 멋쩍은 듯 웃고 있는 여성의 얼굴을 가만히 쳐다보다가, 나는 천천히 고개를 끄덕였다.

그때까지 나는 자본주의사회에서 살기에는 여성이라는 성별이 압도적으로 불리하다고 생각했다. 돈을 많이 버는 사람이 사람들의 존경심까지 차지하게 된 세상에서 살면서 제가 한 노동을 돈이라는 또렷한 보상으로 돌려받지 못하는 여성은 참으로 힘들게 산다 여겼다. 그런데 그 여성분의 답이 두고두고 마음에 울려 퍼지며 반향을 만들어냈다. 자본주의사회에서 살면서 돈을 벌어야 한다는 지상 명제에서 자유로울 수 있는 사람. 그렇구나. 여성을 그렇게도 볼 수 있겠구나.

그 여성분의 대답이 비자본주의적인 세상에 살고 있는 이의 본능적인 통찰에서 나온 것이라고 정리하게 된 것은 내가 이 책을 쓰기 위해 여러 권의 자본주의 관련 서적들을 헤엄친 다음이었다. 어쩌면 내가 그 많은 책을 통해, 그 많은 글쓰기를 통해 도달하고자 하는 지점을, 자신이 속한 세상을 열심히 살아가고 있는 그분은 직관으로 이미 도달해 있었을지도 모르겠다. 말과 글로 일상의 많은 부분을 소진하고 있는 내 삶이 부끄러워지는 순간이었다.

'집에서 논다'는 말의 연원을 찾는 것은 자본주의가 인간에게 가장 중요한 일인 가사 노동을 폄하하고, 한쪽 성에게 미루고, 보상받지 못하는 하찮은 일로 만들어온 내력을 추적하는 과정이었다. 우리 어머니 세대보다 우리 세대에 '엄마' 혹은 '주부'가 더 가벼운 무게감을 지니게 된 것은 돈의 지배력이 확산하는 현상에 수반된 자연스러운 일이었다. 자본주의가 기승을 부리고 사회에서 돈이 부리는 권세가 높아지면서 돈을 받지 못하는 노동을 하는 가사 노동자들의 지위가 점점 더 내려간 것이다.

전통적인 여성운동은 여성들에게 밖에 나가서 일할 것을 부르짖어왔다. 그러나 수많은 여성이 밖에 나가 일을 해도 여성의 지위는 높아지지 않았고, 가사 노동에 대한 폄하는 계속되었다. 이는 자본주의가 무상으로 일하는 가사 노동자를 핵심 근간으로 삼기 때문인데, 아무리 밖에서 일을 해도 여성은 늘 '주부'로 여겨지기 때문에 저임금을 받거나 특정한 때가 되면 일자리에서 밀려나기 마련이었다. 실비아 페데리치가 정확히 짚었듯이, 이제 우리는 시선을 다른 쪽으로 돌려야 한다. 사회에 여성이 들어갈 자리를 만들려는 노력뿐만 아니라 전통적으로 여성의 영역으로 여겼던 가사 노동의 가치를 높이는 작업을 할 때가 온 것이다. 이 작업을 통해 가사 노동의 가치가 올라가면 여성의 지위도 높아질 것이며, 동시에 '일'로 격상된 가사 노동의 영역에 자연스럽게 남성들이 들어오게 될 것이다.

자본주의 자체 내에서 일어난 변화도 이러한 움직임에 힘을 실어주고 있다. 성인 남성 한 명이 가족 임금을 벌어 오던 '정규직 시대'가 막을 내리면서, 모든 노동자의 '주부화'가 진행되는 상황이 도래한 것이다. 인공지능과 통신 기술의 발달과 함께 일하는 공간과 시간이 정해진 정규직 노동자의 상이 무너져 내리면서, 인류는 장소와 시간에 구애받지 않고 '유연하게' 일하는 시대에 접어들었다. 집 안에서 살림을 하면서 틈틈이 재택근무를 하거나 회의 때만 카페에서 만나는 등 노동시간과 장소가 유동적으로 변하는 현상은 더 이상 특이하거나 예외적인 일이 아니다. 이런 현상은 자연스럽게 성별 분업의 관행에도 변화를 몰고 왔다. '남편이 나보다 음식을 더 잘한다'고 말하는 기혼 여성이 빠른 속도로 늘어나는 것은 성별 분업의 공고한 벽이 무너지고 있음을 상징적으로 보여준다. 나는 부모 대상의 강연을 할 때 종종 아이를 안고 온 아빠들을 접했는데, 그 아빠와 함께 참가한 다른 엄마들은 그런 사례를 자연스러운 일로 받아들이고 있었다.

자본주의는 여성에게 양가적인 의미로 작동한다. 자본주의는 여성에게 집 안에서 육아와 살림을 전담하도록 압박을 가하지만, 한편으로는 음식점에 앉아서 돈만 내면 나이 지긋한 남성 어르신의 서빙을 받도록 만든다. 자본주의는 여성이 집 안에서 쉴 새 없이 몸을 움직여 일하고도 집에서 논다는 말을 듣게 만들지만, 한편으로는 남성처럼 누군가의 호주머니를 불리는 활동, 즉 사장이나 주주들의 배를 불리는 활동에 생의 대부분의 시간을 쏟아붓지 않고 자투리 시간을 활용할 수 있게 해준다. 여성들이 돈을 벌기 힘든 상황에 몰려 서러움을 느끼도록 만들지만, 그렇기에 '돈을 꼭 벌어 와야만 사람 취급을 받는 상황'에 놓이지 않고 살 수 있게 한다.

회사원은 자본주의의 꽃이다. 말끔한 슈트를 입고 바쁘게 움직이는 비즈니스맨의 모습은 세련되고 맺고 끊음이 분명한 현대인의 상징으로 보인다. 그러나 이러한 비즈니스맨으로 상징되는 자본주의 체제는 빙산의 일각일 뿐이다. 슈트 차림의 회사원의 발밑에는 돈을 매개로 하지 않은 수많은 관계들이 방대하게 펼쳐져 있다. 지구상에서 한 줌도 안 될 화이트칼라 회사원들을 받치고 선 이 거대한 영토를 구성하는 것은 자연, 여성, 식민지라는 세 요인이다. 오랫동안 있는 듯 없는 듯 묵묵히 있었던 이 세 요인은 세기를 넘어가면서 서서히 존재를 드러내기 시작했다. 자본주의의 여명기부터 근 300년 동안 계속해서 자신을 재생산해 무상으로 제공하던 요인들이 역습을 시작한 것이다.

뉴스의 헤드라인을 장식하는 사건 사고의 대부분은 이 세 가지 영역에서 일어난다. 한여름 이상 고온으로 지구촌 어느 지역에서 사망자가 대거로 발생하거나, 기형 물고기가 대량으로 발견되는 현상은 자연이 더 이상 자본주의 체제에 협조하지 않을 것임을 보여준다. 전 지구적으로 간호사 구인난을 겪거나 어린아이를 돌봐줄 보육 인력을 구하지 못해 돌봄의 공백 상태가 일어나는 것은 여성의 무상 노동으로 큰 폭의 이윤을 올려온 자본주의 체제가 더 이상 작동하지 않을 것임을 보여준다. 과개발국 여성의 아이에게 엄마를 뺏긴 아이들의 현재와 미래, 가족 체계가 급속도로 무너지고 있는 저개발국의 현황은 돌봄 노동의

257

전 지구적 계층화를 바탕으로 한 고도의 자본주의 체제가 얼마 못 가 무너질 것임을 보여준다.

'자연'과 '식민지'가 우리의 물질적·육체적 존립에 직접적 변화를 야기한다면 '여성'은 우리의 정신적·문화적 가치에 대대적 변화를 야기한다. 다가오는 나날은 '여성'의 영역에서 일어나는 변화로 인류의 문화가 뿌리부터 통째로 흔들리는, 그리하여 완전히 새로운 형태와 색깔로 재편성되는 시대가 될 것이다. 우리는 이런 시대 상황을 제대로 읽어내야 한다. 자본주의가 딛고 선 거대한 대륙들이 갈라지고 흔들리며 지형 변화를 겪고 있는 현실은 우리의 실생활에 이미 성큼 들어와 있다. 그러나 법·제도·관습·교육은 50년 전에나 적용 가능할 내용을 되풀이해 내보내며 사람들을 혼란에 빠뜨린다. 우리가 더 이상 유효하지 않은 해묵은 사고방식과 현재를 정확하게 반영하는 사고방식 사이에서 혼란에 빠지는 것은 우리의 사회·문화를 조직하는 결정권자들의 성별과 나이 때문이다. 그러나 이들이 세워놓은 케케묵은 정언명령들의 창살 틈새를 자세히 살펴보면, 우리가 살고 있는 이 순간의 현실을 보여주는 단서들이 차올라 넘실거리는 것을 목도할 수 있다. 이제 여성은, 그리고 여성과 함께 삶을 영위하는 남성은, 자본주의가 빼앗아 간 고귀한 기회를 되찾아 와야 한다.

여성은 혼자 강제로 짊어졌기 때문에 그 본연의 매력을 향유할 수 없었고, 남성은 인위적으로 제외됐기 때문에 그 본연의 생명력을 향유할 수 없었던, 살림과 육아라는 생의 축제에 대한 지분을 남녀가 합심하여 고르게 재분배해야 한다. 자본주의의 출현과 함께 시작된 해묵은 거짓말, '집에서 논다'는 말은 그 과정에서 자연스럽게 맥락을 잃게 될 것이다.

주

1 소스타인 베블런, 김성균 옮김, 『유한계급론』, 우물이있는집, 2012, 220쪽.

2 위의 책, 364~365쪽.

3 레슬리 베네츠, 고현숙 옮김, 『여자에게 일이란 무엇인가』, 웅진윙스, 2011, 196쪽.

4 위의 책, 238쪽.

5 라문숙, 『전업주부입니다만』, 엔트리, 2018, 55쪽.

6 카트리네 마르살, 김희정 옮김, 『잠깐 애덤 스미스 씨, 저녁은 누가 차려줬어요?』, 부키, 2017, 179쪽.

7 낸시 폴브레, 윤자영 옮김, 『보이지 않는 가슴』, 또하나의문화, 2007, 111쪽.

8 실비아 페데리치, 황성원·김민철 옮김, 『캘리번과 마녀』, 갈무리, 2011, 157쪽.

9 위의 책, 343쪽.

10 마리아 미즈, 최재인 옮김, 『가부장제와 자본주의』, 갈무리, 2014, 260쪽.

11 박가분, 『포비아 페미니즘』, 인간사랑, 2017, 155쪽.

12 위의 책, 158쪽.

13 위의 책, 223쪽.

14 로이 F. 바우마이스터, 서은국·신지은·이화령 옮김, 『소모되는 남자』, 시그마북

스, 2015, 469쪽.

15 위의 책, 469쪽.

16 실비아 페데리치, 황성원 옮김, 『혁명의 영점』, 갈무리, 2013, 40쪽.

17 법륜, 『엄마 수업』, 휴, 2011, 68쪽.

18 위의 책, 69쪽.

19 법륜, 『인생 수업』, 휴, 2013, 37~39쪽.

20 김하나·황선우, 『여자 둘이 살고 있습니다』 위즈덤하우스, 2019, 153쪽.

당신이 집에서
논다는 거짓말

지은이   정아은

2020년 5월 18일 초판 1쇄 발행
2021년 1월 22일 초판 4쇄 발행

기획·편집   선완규
디자인   형태와내용사이

펴낸곳   천년의상상
등록   2012년 2월 14일 제2012-000291호
주소   (17088) 경기도 용인시 기흥구 사은로 274-20, 110동 1402호(지곡동, 자봉마을써니밸리)
전화   (031) 8004-0272
이메일   imagine1000@naver.com
블로그   blog.naver.com/imagine1000

ISBN 979-11-90413-10-7 03810

잘못된 책은 구입처에서 바꾸어드립니다.
이 도서의 국립중앙도서관 출판예정도서목록(CIP)은 서지정보유통지원시스템 홈페이지(http://seoji.nl.go.kr)와 국가자료종합목록 구축시스템(http://kolis-net.nl.go.kr)에서 이용하실 수 있습니다. (CIP제어번호 : CIP2020016487)